Erhard Dietl
Rita Braun (Hg.)

Der Schülerwitze Omnibus

omnibus

DIE HERAUSGEBER

Erhard Dietl lebt in München und arbeitet als Autor und Illustrator. Er hat bisher mehr als 100 Kinderbücher veröffentlicht, die weltweit in zahlreiche Sprachen übersetzt wurden, darunter die berühmten »Olchis«. Für seine Arbeit wurde er u. a. mit dem Österreichischen Kinder- und Jugendbuchpreis, dem Kinderbuchpreis des Landes Nordrhein-Westfahlen und der Stiftung Buchkunst ausgezeichnet. Erfolgreich ist er auch als Songwriter und Musiker sowie mit seinen Radierungen, u. a. zu Gedichten von Erich Kästner und Joachim Ringelnatz.

Rita Braun arbeitet als Dipl. Bibliothekarin in München und ist Leiterin einer Fahrbibliothek für Kinder und Jugendliche. Seit einigen Jahren schreibt sie Buchrezensionen und Texte für Kinderbücher.

Erhard Dietl
Rita Braun (Hg.)

Der Schülerwitze Omnibus

Mit Vignetten von Erhard Dietl

omnibus

OMNIBUS
ist der Taschenbuchverlag für Kinder
in der Verlagsgruppe Random House

FSC
Mix
Produktgruppe aus vorbildlich
bewirtschafteten Wäldern und
anderen kontrollierten Herkünften

Zert.-Nr. SGS-COC-1940
www.fsc.org
© 1996 Forest Stewardship Council

Verlagsgruppe Random House FSC-DEU-0100
Das für dieses Buch verwendete FSC-zertifizierte
Papier *München Super*
liefert Mochenwangen Papier.

3. Auflage
Originalausgabe April 2007
Gesetzt nach den Regeln der Rechtschreibreform

Cover und Vignetten: Erhard Dietl
Umschlaggestaltung: Basic-Book-Design,
Karl Müller-Bussdorf
he · Herstellung: CZ/SK
Satz: DTP im Verlag
Druck und Bindung: GGP Media GmbH, Pößneck
ISBN 978-3-570-21813-6
Printed in Germany

www.omnibus-verlag.de

Inhalt

Sofort nach dem Aufwachen

Schlossbesichtigung. In einer Vitrine liegen zwei Totenschädel. Ziemlich grausig das Ganze.
»Der rechte, der große Schädel, ist das Haupt von König Arthur dem Guten«, erklärt der Aufseher.
»Und der andere, der kleine?«
»Der ist auch von unserem König Arthur dem Guten, als er noch ein Kind war.«

*

»Herr Ober, die Suppe ist ja eiskalt!«
»Da kann ich nichts dafür. Sie haben die Speisekarte von gestern erwischt!«

*

»Und bitte, geben Sie acht auf den Abgrund«, sagt der Reiseleiter. »Hinter mir ist kein Gelaaaaaa … «

*

Vater hat wieder einmal seine alte Platte aufgelegt:
»Das schönste Weihnachtsgeschenk für mich wäre es, wenn du in der Schule endlich bessere Noten bekämst!«
»Papilein«, sagt Karin, »jetzt ist es zu spät. Jetzt habe ich dir schon Hosenträger gekauft.«

*

Die Eltern geben eine Party.
Die Kinder stecken die Köpfe zusammen und flüstern:
»Das müssen aber ganz wichtige Leute sein«, meint Bodo. »Warum?«
»Weil Mami über Papis Witze lacht!«

Susi kommt zum Apotheker und kauft Schlankheitspillen. Nach knapp einer Woche ist sie schon wieder da und verlangt das Gleiche.
»Für wen sind denn diese Pillen?«, fragt der Apotheker etwas besorgt.
»Für mein Kaninchen«, antwortet Susi. »Mein Papi will es nämlich schlachten, sobald es fett ist.«

*

Vati kommt nach Hause und wird von Helenchen schon an der Türe mit Küsschen und allem Pipapo empfangen. Markus dagegen hockt in seinem Zimmer und rührt sich nicht. Gekränkt sagt Vati zu Markus: »Nimm dir ein Beispiel an deiner Schwester, wie nett sie mich begrüßt!«
»Kunststück!«, brummt Markus. »Das würd ich auch, wenn ich die Fensterscheibe eingeschmissen hätte!«

*

Bei Kindermanns klingelt es an der Türe. Ein Polizist steht da und fragt: »Frau Kindermann, ist jemand in Ihrer Familie Amateurfunker?«
»Ja, mein Sohn Teddy. Um Himmels willen, das wird doch nicht verboten sein!«
»Im Prinzip nicht«, antwortet der Polizist. »Aber soeben ist die gesamte Flotte der NATO ausgelaufen!«

*

»Heute hab ich deinen Lehrer getroffen«, erzählt Vater mit drohendem Unterton in der Stimme.
»Gell«, sagt Ossi, »ein komischer Vogel. Schimpft ständig auf andere Leute.«

Herr Hufnagel ist wütend.
»Was treibt ihr da oben!«, brüllt er auf seinen Kirschbaum rauf.
»Na, was werden wir schon tun«, rufen Tom und Alex vom Baum runter. »Wir hängen die Kirschen wieder hin, die gestern runtergefallen sind.«

*

Die beiden Schnecken sind immer noch auf der Straße. Sagt die eine: »Pass auf, da kommt ein Auto.« Sagt die andere: »Red doch keinen Quatsch-quatsch-quatsch … «

*

»Herr Ober, haben Sie Froschschenkel?« »Selbstverständlich, mein Herr!«
»Das ist gut. Dann hüpfen Sie doch mal schnell an die Theke und holen Sie mir ein kleines Bier.«

*

Der ICE jagt zweimal am Tag durchs Dorf. Mit Höchstgeschwindigkeit, versteht sich.
Und zweimal täglich jagt Leos Fiffi hinter ihm her. »Gibt der nicht mal auf?«, fragt einer den Leo.
»Nie!«, sagt Leo. »Ich frage mich nur, was er mit dem Ding macht, wenn er es einmal erwischt!«

*

Radwanderung im Gebirge. Sie sausen den Pass hinunter, dass die Reifen quietschen.
»Mir wird ganz schwindlig!«, ruft Benni.
»Mach's wie ich«, brüllt Uli. »Schließ die Augen!«

Karlchen Großkotz kommt mit einem superaffengeilen Riesenschlitten an der Tankstelle vorgefahren.
»Super«, sagt er zum Tankwart, und: »Mach den Eimer voll!«
Und weil er es so eilig hat, lässt er den Motor laufen, dass der Auspuff nur so qualmt.
Nach einer Weile sagt der Tankwart:
»Ach, könnten Sie für ein paar Minuten den Motor abstellen. Ich komm nämlich mit dem Einfüllen nicht mehr nach!«

*

»Weißt du, wo Mallorca liegt?«, fragt Sigrid.
»Im Mittelmeer, das weiß doch jeder Idiot!«, brüllt der Bruder.
»Na ja, darum hab ich ja auch dich gefragt!«, sagt Sigrid.

*

Der große Hollywoodstar liegt auf dem seidenen Diwan, raucht Zigaretten und wartet auf neuen Ruhm. Plötzlich zieht Rauch durch die Wohnung, Flammen lodern, es brennt! Da stürzt der Star zum Telefon, ruft den Agenten an und befiehlt: »Los, los, los, sofort Fernsehen, Funk und Presse her, bei mir brennt's!«

*

»Bin ich froh, dass ich nicht in Paris geboren bin.«
»Wieso, was hast du gegen Paris?«
»Nichts. Aber, was meinst du, wie ich mich blamiert hätte. Ich kann doch nicht Französisch.«

»Freddy hatte eine tolle Geburtstagsfete. Oberaffengeil, sag ich euch. Alle Typen von der Clique waren da und die ganze Schulklasse war da und die vom Fußballverein und der Judokurs – und spät nachts kam auch noch das Überfallkommando.«

*

Susi, das Autogenie, lässt ihren Freund antanzen. Er muss ihren Wagen anschauen, der schon wieder einmal nicht mag.
»Ich kann mir nicht denken, was es diesmal ist«, sagt Susi. »Also, die Kerzen sind's bestimmt nicht.« »Und wieso willst du das so genau wissen, du Schlaubergerchen?«
»Weil ich sie gestern alle herausgenommen hab, du Dummerchen!«

*

»Versteht dein Vater was vom Fußball?«
»O ja. Vor dem Spiel erklärt er dir, warum nur unsere Mannschaft gewinnen kann. Und nach dem Spiel weiß er genau, warum sie verloren hat.«

*

Rolf und Frank marschieren über die Landstraße. Es ist heiß und die Rucksäcke werden immer schwerer. Da kommt ein kleiner Lieferwagen angezockelt. Ob er sie mitnimmt? Sie winken und fragen.
»Meinetwegen, setzt euch auf die Ladefläche hinten«, sagt der Fahrer. »Aber die Rucksäcke müsst ihr oben behalten. Sonst wird es zu schwer für mein Autochen!«

»Auf welcher Weide kann keine Kuh grasen?«
»Auf der Trauerweide.«

*

Ein Mann kommt zum Zirkusdirektor: »Ich habe eine sensationelle Nummer!«
Dann führt er einen Hund und einen Papagei vor. Der Papagei sitzt auf dem Rücken des Hundes und singt.
»Da ist aber ein Trick dabei!«, sagt staunend der Zirkusdirektor.
»Ehrlich gesagt, ja. Der Papagei kann nämlich gar nicht singen. Das macht der Hund!«

*

Ein Elefant will ins Kino.
»Na, hat es dir gefallen?«, wird er am anderen Tag gefragt. »Ich bin gar nicht hineingegangen«, sagt er. »Die sind ja bescheuert. Da stand an der Kasse angeschrieben: Programm ein Euro. Was meinst du, wie teuer das bei meinem Gewicht geworden wäre.«

*

»Pass auf! Wenn du drei Katzen hast und noch mal drei Katzen, wie viele Tiere hast du dann?«
»Sechs Tiere.«
»Gut! Und wenn du eine Katze hast und dazu einen Vogel und einen Maikäfer, wie viele Tiere hast du dann?«
»Ein Tier!«
»Falsch!«
»Nein, richtig! Der Vogel frisst den Maikäfer
und die Katze den Vogel. Macht zusammen ein Tier!«

Ein Schiff fährt durch den hintersten Winkel des Stillen Ozeans und kommt an einem völlig einsamen Inselchen vorbei. Dort rennt ein Mann mit langem Bart und abgerissenen Kleidern wie wild umher, fuchtelt mit den Armen, winkt mit Tüchern und springt mit beiden Beinen in die Höhe. »Sehen Sie«, sagt der Kapitän des Schiffes zu einem Mitreisenden. »Alle paar Jahre kommen wir hier vorbei und jedes Mal freut sich dieser Kerl wie verrückt!«

*

»Herr Ober, vor drei Stunden haben wir Wiener Schnitzel bestellt und jetzt bringen Sie Griespudding daher!«, beschweren sich die Gäste von Tisch fünf. »Das haben wir gern«, schimpft der Ober. »Zuerst stundenlang herumsitzen, ohne etwas zu verzehren, und dann auch noch meckern!«

*

Unsere kleine Betty steht im Zoo lange da und starrt unentwegt den Storch an.
Dann geht sie weiter und sagt traurig: »Oje, er kennt mich nicht mehr.«

*

»Ist der Hund auch treu?«, fragt Herr Brenneisen.
»Das kann man wohl sagen«, antwortet der Tierhändler.
»Zehnmal hab ich ihn bestimmt schon verkauft. Und immer wieder ist er zu mir zurückgekommen.«

»Pitt, wie möchtest du den Kaffee? Mit viel Milch und Zucker?«
»Ja, und mit viel Torte!«

*

Warum sind die Schotten so mutige Männer?
Weil ihnen das Herz nicht in die Hose fallen kann.

*

»Können Sie uns am kommenden Donnerstag besuchen?«, wird der große Manager gefragt.
Er blättert im Terminkalender:
»Geht leider nicht, da hab ich Aufsichtsratsitzung.« »Und am Donnerstag in vier Wochen?«
Er blättert wieder im Terminkalender:
»Geht leider auch nicht, da bin ich in Zürich.«
»Und am Donnerstag in acht Wochen?«
Er blättert wieder:
»Da bin ich in New York.«
»Und am Donnerstag in einem halben Jahr?«
Wieder das Geblätter. Und dann:
»Leider auch nicht. Da hab ich meine Grippe!«

*

»Wonach bohren die Texaner?«
»Nach Essig und Öl.«
»Wieso das?«
»Sie bohren in die Erde. Kommt etwas Dunkles, ist es Öl. Kommt gar nichts, ist alles Essig.«

»Jetzt denkt mal scharf nach!«, sagt unser superschlauer Hans-Karl-Eugen. »Es wird größer, wenn man etwas davon wegnimmt. Und wenn man etwas dazugibt, wird es kleiner?«
Nachdem alle genug herumgeraten haben, gibt er die Antwort: »Ein Loch in der Erde.«

*

»Was sagste zum Wetter?«
»Ach ja, ein Wetter muss halt sein!«

*

Während Mutti beim Einkaufen war, haben die Kinder die Hausarbeit erledigt.
Susi berichtet: »Also, das war so. Wir haben nämlich die Arbeit geteilt. Trixi hat abgespült. Ich habe abgetrocknet. Und Peter hat die Scherben zusammengekehrt.«

*

England ist ein tolles Land, hat einer gesagt. Man sollte nur ein großes Zeltdach drüberspannen.

*

Darf ich Ihnen ein Gläschen Wein anbieten?«, wird der Herr Hofrat in Wien gefragt.
»Bitte«, sagt der Herr Hofrat. »Also erstens ist heute Fasttag. Da trink ich keinen Wein. Zweitens hab ich ein Gelübde getan, dass i überhaupt keinen Wein mehr trink. Und drittens hab ich heut schon einmal ein Glaserl getrunken, irgendwo. Aber viertens, na ja, noch ein Glaserl könnt vielleicht gar nicht schaden. Also, bitte, ja!«

»Warum musst du immer eine andere Meinung haben als dein Bruder?«
»Weil ... sonst hätten wir immer beide unrecht«, sagt Evi.

*

Großes Bürgerfest im Rathaus mit kaltem Büfett, Orangensaft und Flohmarkt. Bevor es aber so weit ist, muss man sich noch ein bisschen Kultur anhören. In der Stadthalle sitzt einer und spielt Klavier. Die Leute stehen rum und lauschen.
Flüstert einer: »Ist das Beethoven?«
»Nö«, sagt ein anderer. »Das ist der alte Knirschl. Der spielt immer, wenn was los ist.«

*

»Haste gehört, Alex hat sich einen Gebrauchtwagen gekauft.«
»Welche Farbe?«
»Zweifarbig. Weiß und Rost.«

*

Martina hat ihre Liebe zum Gesang entdeckt.
»Heute muss man sich auf irgendeinen Sound spezialisieren, um Erfolg zu haben. Wenn ich nur wüsste, auf welchen?«
»Spezialisier dich doch auf Weihnachtslieder«, rät ihr Bruder. »Das ist nur einmal im Jahr!«

*

»Was ist, wenn eine Giraffe nasse Füße hat?«
»Dann bekommt sie in vierzehn Tagen Schnupfen.«

»Wenn ein Kilo Tomaten drei Euro neunzig kostet«, fragt der Lehrer, »was kriegst du, wenn du sieben Euro achtzig hast?«
»Wenn ich sieben Euro achtzig habe«, meint Markus, »dann kriege ich bei Mario einen Tomatensalat mit Mozzarella.«

*

»Was ist dein Vater?«
»Dompteur.«
»Und mit welchen Tieren arbeitet er?«
»Also, angefangen hat er mit einem Flohzirkus. Als er kurzsichtig wurde, arbeitete er mit Pudeln. Jetzt ist er bei Elefanten.«

*

Bei Frau Mulemann ist die Gartenmauer umgefallen. Darum muss Meister Knopp her und die Mauer wieder neu aufbauen. Das schafft Meister Knopp mit links. Bald ist er fertig, trägt seine Sachen zum Auto und packt ein. Da kommt ihm Frau Mulemann nachgelaufen und jammert: »Meister Knopp«, sagt sie, »jetzt ist die Mauer schon wieder eingefallen!«
»Ja, liebe Frau«, sagt da der Meister Knopp. »Was hält heute schon ewig!«

*

»Müsst ihr immer gegenteiliger Meinung sein!« Mama ist stinksauer auf Nina und Markus. »Sind wir ja gar nicht«, sagt Markus. »Nina will das größere Stück Kuchen und ich auch.«

»Spielt deine Mami nicht mehr Tennis?«
»Nein, der Arzt hat ihr geraten, damit aufzuhören.«
»Warum? Ist sie krank?«
»Das nicht. Aber er hat ihr einmal beim Spielen zugeschaut.«

*

»Wer ist der fetzige Typ mit so einer Superfrisur und der total turbogeilen Figur?«
»Aber Kinder!«, sagt Mami. »Das ist doch euer Vater!«
»Mann, o Mann!«, sagen sie. »Und wer ist dann diese dicke Kalkleiste, die jetzt bei uns wohnt und gnadenlos herumleiert?«

*

»Warum hat der Löwe so einen großen Kopf?«
»Damit er im Zoo nicht durchs Gitter kann.«

*

»Gestern hat Ossi den ersten Preis gewonnen.« »Wieso? Er wurde doch nur Dritter!«
»Ja. Aber vorher hat er noch nie etwas gewonnen.«

*

Das Fußballmatch ist aus. Sie haben gar nicht mal so schlecht gespielt. Jetzt sitzen sie in der Kabine.
Da hat Uli eine Idee.
»Chef«, sagt er zum Vereinsvorstand. »Jetzt wär doch eine ordentliche Erfrischung fällig. Oder?«
»Klar«, sagt der Vereinsvorstand. »Macht mal schön die Fenster auf!«

»Warum kann man aus Fensterglas keine Brillen machen?«
»Weil das Fensterglas erstens viel zu groß und außerdem viereckig ist!«

*

»Opa, wie geht's?«
»Doch, es geht. Nur ein bisschen langweilig ist's halt.«
»Dann geh doch ins Kino!«
»Weißt du, im Kino ist mir wahrscheinlich auch langweilig.« »Aber inzwischen haben sie den Tonfilm erfunden, Opa!«

*

»Wetten, dass ich sechs Seiten vom Münchner Telefonbuch hersagen kann?«
»Los! Fang an!«
»Maier, Maier, Maier, Maier ...«

*

Johannes fährt Papas Auto ein bisschen spazieren. Und schon hält ihn ein Polizist auf:
»Freundchen, kann ich mal deinen Führerschein sehen!«
»Blöde Frage«, meint Johannes. »Den bekommt man doch erst mit achtzehn!«

*

»Wie habt ihr beim Schwimmfest abgeschnitten?« »Eigentlich gar nicht so schlecht.«
»Was heißt das?«
»Keiner von unserem Verein ist ertrunken!«

»Da dürfen Sie nicht näher ran!«, sagt der Polizist. »Da ist abgesperrt!«
»Aber ich muss näher ran!«, sagt der Mann. »Ich muss eine Reportage schreiben!«
»Sie dürfen aber nicht näher ran«, sagt wieder der Polizist. »Was da passiert ist, können Sie morgen alles in der Zeitung lesen!«

*

Bei Herrn Randomir läutet ein Vertreter.
»Ich habe ein hundertprozentiges Wundermittel. Eine Wurzel. Wenn Sie die in den Mund schieben und dabei einen Lottoschein ausfüllen, haben Sie garantiert einen Sechser.«
»Hört sich gut an«, sagt Herr Randomir. »Und was kostet die Wunderwurzel?«
»Lächerliche fünfhundert Euro«, sagt der Vertreter. Da kauft Herr Randomir natürlich die Wurzel.
»Aber da ist noch was«, meint der Vertreter. »Nur eine Kleinigkeit. Wenn Sie die Lottozahlen aufschreiben, dürfen Sie auf keinen Fall an ein Nilpferd denken. Sonst wirkt der Zauber nicht.«
»Und weiß der Teufel«, sagt später Herr Randomir, als er seinen Lottoschein ausfüllen will. »In meinem ganzen Leben hab ich noch nie an ein Nilpferd denken müssen. Und jetzt krieg ich das verdammte Biest nicht mehr aus meinem Kopf!«

Vor dem Frühstück

»Gestatten, dass ich mich vorstelle. Mein Name ist Eckstein«, sagt der eine Herr.
Antwortet der andere: »Was geht mich das an. Bin ich ein Hund?«

*

»So schwer war doch die Hausaufgabe nicht«, sagt Lehrer Kleinmann. »Wenn ein Mann dreißig Kilometer in sechs Stunden geht, wie viel geht er dann in dreizehn Stunden?«
»Ich weiß es nicht«, sagt Kurti. »Mein Daddy ist noch nicht zurück.«

*

»Haben Sie Bananen?« fragt die Kundin.
»Ja, klar doch«, sagt der Gemüsehändler.
»Und sind die auch weich?«
»O ja, ganz weich.«
»Dann lassen wir's. Weiche mag ich nicht«, meint die Kundin.
»So weich sind sie aber auch wieder nicht«, sagt der Händler.

*

Sie stehen vor einem Denkmal im Stadtpark.
»Wer ist das?«
»Irgend so ein Geistesriese. Goethe, Schiller oder so. Warum willste das wissen?«
»Sollte man halt wissen, glaube ich.«
»Weißte was, jetzt malen wir ihm die Nase weiß an, dann kannste morgen in der Zeitung lesen, wer's ist.«

»Mama, können wir nicht ab jetzt zu einem anderen Zahnarzt gehen?«, fragt Karla.
»Aber wieso denn? Der alte ist doch sehr nett.« »Ja, aber ich kenn dem seine Illus schon langsam auswendig.«

*

»Herr Ober, was macht das Bier, das ich vor zwei Stunden bei Ihnen bestellt habe?«
»Drei Euro vierzig«, sagt der Ober.

*

»Musste es wirklich sein, dass mein Hugo durchfällt?«, fragt der geplagte Vater.
»Mit dem, was Ihr Sohn nicht weiß, hätte eine ganze Klasse sitzen bleiben können«, meint Studienrat Fliege.

*

»Wenn dein Nachbar einen Fehler macht, dann sollst du immer ein Auge zudrücken«, hat der Pastor gepredigt.
»Ist doch klar«, sagen die Cowboys. »Wie soll man sonst zielen!«

*

»Was fressen Eisbären?«, fragt ein gut angezogener Herr den Zoowärter.
»Beugen Sie sich einmal über die Brüstung«, antwortet der Wärter, »dann werden Sie es wissen ... noch etwas weiter ... noch weiter.«
Und später sagt der Wärter zu seinem Eisbären: »So, für heute muss das reichen.«

»Unser Kanarienvogel hat Benzin gesoffen!«
»Und?«
»Er flog dreimal durchs Zimmer, dann stürzte er ab.«
»Tot?«
»Nein. Das Benzin war alle.«

*

»Wetten, dass ich mir ins rechte Auge beißen kann?«, sagt Dave.
»Glaub ich nicht«, sagt Jimmy.
Da nimmt Dave sein Glasauge heraus, beißt hinein und Jimmy hat verloren.
Dann sagt Jimmy: »Wetten, dass ich mir ins linke Auge beißen kann?«
Na ja, ein Glasauge wird er nicht haben, denkt Dave und wettet.
Jimmy aber nimmt sein Gebiss heraus, beißt sich ins linke Auge und Dave hat verloren.

*

»Wie waren die Weihnachtsplätzchen?«, fragt Tante Molli.
»Also, die Marmelade war einsame Spitze! Und die kleinen Unterteller bringe ich dir wieder zurück«, meint Xaver.

*

»Herr Professor«, sagt die Dame zu Doktor Seelwurm, »unser Karlchen hält sich für den bösen Wolf. Was sollen wir tun?« »Vor allem aufpassen«, sagt Doktor Seelwurm, »dass die Großmutter nicht auf Besuch kommt!«

Nach der Tabelle hat Hugo so viel Übergewicht, dass er eigentlich zwei Meter dreißig groß sein müsste.
Aber er kann essen, so viel er will, er wächst nicht mehr.

*

»Warum ziehst du immer ein Seil hinter dir her?«, wird Bubi Dösköpp gefragt.
»Na und? Schieben kann ich es nicht!«

*

»Haben Sie rotes Benzin?«, fragt Frau Leberkes den Tankwart.
»Was soll denn das?«, fragt erstaunt der Tankwart.
»Ja, für mein Rücklicht nämlich. Das brennt nicht mehr«, sagt Frau Leberkes.

*

»Halt!«, sagt der Polizist. »Sie sind zu schnell durch die Bahnhofstraße gefahren!«
»Unmöglich«, sagt Herr Kammermeier. »Ich hatte höchstens vierzig drauf. Nein, es waren dreißig oder fünfundzwanzig. Ach was, viel weniger. Wenn ich genau überlege …«
»Ist gut. Strengen Sie sich nicht mehr an«, sagt der Polizist. »Ich schreibe Sie wegen Falschparkens auf. O. k.?«

*

Kennst du den Unterschied zwischen einer Geige und einem Cello?
Das Cello brennt länger.

Gamaschen-Willi steht vor Gericht. Und der Richter ist sehr böse auf ihn: »Vor drei Jahren wurden Sie wegen Autodiebstahls verurteilt. Und nun stehen Sie schon wieder wegen der gleichen Straftat hier. Haben Sie dafür eine Erklärung?«
»Habe ich schon, hoher Herr Gerichtshof«, sagt Willi. »So ein Auto hält auch nicht ewig.«

*

New York. Ein Zeitungsjunge schreit: »Mysteriöse Betrugsserie. Bereits fünfzig Opfer!«, brüllt er.
Sam Nickel geht hin und kauft sich eine Zeitung, blättert herum und findet nichts.
Da hört er den Zeitungsjungen brüllen: »Mysteriöse Betrugsserie. Bereits einundfünfzig Opfer!«

*

»Wer hat den Streit angefangen?«, fragt streng der Lehrer.
»Der Florian«, antwortet Leo. »Er hat als Erster zurückgeschlagen.«

*

»Herr Doktor, mein Rheuma ist immer noch nicht besser geworden«, sagte Frau Hirnmoser. »Ja, haben Sie nicht, wie ich Ihnen gesagt habe, nach einem heißen Bad Lindenblütentee getrunken?« »Nein, Herr Doktor. Es ging einfach nicht. Das müssen Sie mir glauben! Wie ich das heiße Bad getrunken hatte, bekam ich keinen Schluck mehr von dem Lindenblütentee runter.«

»Heute haben wir in der Schule das Lied vom Schlächter Müller gelernt«, erzählt Schorschi.
»Schlächter Müller? Kenne ich nicht.«
»Kennst du nicht: ›Das muss ein Schlächter Müller sein, dem niemals fiel das Wandern ein‹? Kennst du doch, oder?«

*

»Mami, weißt du, wie viel Zahnpasta in einer Tube ist?«
»Nein.«
»Aber ich! Genau vier Meter!«

*

Weihnachten kommt heran, da wird auch der Gefängnisdirektor leutselig.
»Na, Kinderchen«, sagt er zu seinen Pflegebefohlenen. »Wie wollen wir diesmal das Fest feiern?«
Da meldet sich Bronzi, der Taschendieb: »Ach, wissense was, Herr Direktor, machen wir doch einen Tag der offenen Tür!«

*

Wie entsteht ein luftleerer Raum?
Antwort: Wenn man mit dem Fahrrad über einen Nagel fährt.

*

»Mami, was macht man mit Autos, wenn sie alt und kaputt sind?«
»Dann kommt ein Händler und verkauft sie deinem Papi als einmalige Gelegenheit.«

Ein kleiner Fuchs hockt allein vor seinem Bau. Papi und Mami sind fort.
Da kommt der Hase vorbei, sieht den Kleinen und fragt:
»Ist dein Vati da?«
»Nein.«
»Ist deine Mami da?«
»Auch nicht.«
»Ist dein großer Bruder da?«
»Nein.«
Da sagt der Hase: »Komm her! Magst eine Ohrfeige?«

*

Ein Gast läßt den Geschäftsführer rufen. »Könnten Sie bitte in Ihrem Personalbüro nachforschen lassen«, sagte er, »ob der Ober, bei dem ich ein Jägerschnitzel bestellt habe, noch in Ihrem Etablissement beschäftigt ist.«

*

»Jim!«, sagen sie zum alten Jim. »Du hast ein Gebiss wie eine hundertjährige Säge!«
»Dann geh ich morgen zu meinem Bruder«, sagt der alte Jim.
Und wirklich. Schon einen Tag später kam er mit nagelneuen Zähnen daher.
»Mann!«, sagen da die anderen. »Wir wussten ja gar nicht, dass dein Bruder ein Zahnarzt ist!«
»Ist er ja gar nicht«, antwortet Jim. »Was ist er dann?«
»Ooch, der arbeitet bei einem Leichenbestatter«, sagt Jim.

Der Soldat Bluntschli bekommt einen Auftrag. Er soll erkunden, ob die Brücke da vorne passierbar ist a) für Infanterie und b) für Panzer.
Nach einer Stunde kommt Bluntschli zurück und meldet: »Die Brücke ist passierbar für Panzer, aber nicht für Infanterie!«
»Das gibt es doch nicht«, sagt der Kommandeur. »Wenn die Brücke für Panzer passierbar ist, dann ist sie es erst recht für Infanterie!«
»Eben nicht«, sagt Bluntschli. »Da steht nämlich ein böser Hund davor!«

*

»Mieser Schuppen, dieses Restaurant«, schimpft der Vater. »Die Schnitzel klein, die Pommes zu wenig, die Kellner langsam ...«
»Ja«, ergänzt der kleine Sohn, »und wenn wir nicht so schnell gewesen wären, hätten wir alles auch noch bezahlen müssen, gell, Papa!«

*

Der Pastor im Wilden Westen lässt seinen Hut umherreichen zu einer Sammlung für die Armen der Gemeinde. Als ihm der Hut wieder zurückgegeben wird, ist der total leer geblieben. Da kniet sich der Pastor hin und betet laut:
»Mein Herr und Gott, ich danke dir angesichts dieser Gemeinde, dass der Hut wenigstens wieder zurückgekommen ist!«

»Du, da ruft so ein Grufti an. Du sollst deine Stereoanlage leiser stellen. Er kann sein eigenes Wort nicht mehr verstehen.« »Dann sag ihm, er soll ein paar Straßen weiterziehen!« »Du, der wohnt aber schon ein paar Straßen weiter!«

*

»Und dies ist der Artist, der immer seinen Arm in den Rachen von Löwen steckt. ›Theodor der Einmalige‹ hieß er früher.«
»Und jetzt?«
»Theodor der Einarmige.«

*

»Wir haben einen Hund, der ist absolute Spitze! Jeden Morgen haut er ab und holt mir die Zeitung.«
»Quatsch! Das machen andere Hunde auch.«
»Aber wir haben gar keine Zeitung abonniert!«

*

»Jetzt kann ich schon Guten Morgen und Danke auf Englisch sagen«, tönt Felix.
»Dann wird es Zeit, dass du es auch auf Deutsch lernst!«, meint Vater.

*

Ein Farmer kommt nachts an seinem Hühnerstall vorbei und hört verdächtige Geräusche.
»Ist da jemand?«, ruft der Farmer.
Kommt von drinnen eine Stimme: »Nein. Nur wir Hühner!«

David und Daniela fahren in die Ferien zur Oma. Als sie zum Bahnhof kommen, merken sie, dass der Zug schon fort ist.
»Wenn du nicht so gebummelt hättest«, schimpft David, »dann hätten wir den Zug noch erwischt.« »Und wenn du nicht wie ein Wahnsinniger gerannt wärst«, kontert Daniela, »dann müssten wir jetzt nicht so lange auf den nächsten Zug warten.«

*

»Wie heißen Sie?«, fragt der Polizist und zieht seinen Block heraus.
»Ichtymondios-Anarchisthenes.«
»Und wie schreibt man das?«
»In der Mitte mit einem Bindestrich.«

*

»Dies, meine Herrschaften, ist die berühmte Schlucht, in die jedes Jahr zehn bis zwanzig Wanderer stürzen!«, erklärt der Fremdenführer. »Ja, sagen Sie mal«, fragt einer der Zuhörer, »wenn die Schlucht schon so gefährlich ist, warum macht man da kein Geländer hin, damit nicht mehr so viele abstürzen?«
»Ja, weil, wenn nicht mehr so viele abstürzen, dann ist sie ja nicht mehr so berühmt, die Schlucht«, meint der Fremdenführer.

*

Wenn der Kopf eines Pferdes nach Norden zeigt, wohin zeigt dann der Schwanz?
Nach unten.

Vati hat ein neues Auto gekauft. Bei der ersten Ausfahrt darf ihn Manuela begleiten.
»Wie war's?«, fragt Mutti.
»Sagenhaft!«, strahlt Manuela. »Einfach irre toll! Wir haben vier Trottel, acht Rindviecher, sechs Idioten und mindestens zehn Armleuchter überholt!«

*

»Mann, wie siehst du aus!«, sagt Uli zu Karli.
»Ja, weißt du, vor vier Wochen habe ich einen Mopedunfall gehabt.«
»Aber hör mal, ich habe dich noch vorgestern ganz gesund herumlaufen sehen!«
»Ja, aber gestern hab ich den getroffen, mit dem ich den Unfall hatte!«

*

Es unterhalten sich zwei Mütter, sagt die eine:
»Meine Heidi erzählt zu Hause überhaupt nichts von der Schule. Ich finde das sehr schade.«
»Seien Sie nur froh«, sagt die andere. »Jutta erzählt mir alles. Seitdem kann ich keine Nacht mehr ein Auge zutun!«

*

Hauptreisezeit und Stoßbetrieb an der Tankstelle vor der Grenze.
»Bitte sehen Sie auch meine Reifen nach!«, sagt der Fahrer.
»Eins, zwei, drei, vier. Sie sind alle dran, Sie können fahren«, sagt der Tanki.

»Du, Christian«, sagt der Vater zu seinem Sohn. »Fahr vorsichtshalber deinen Kleinwagen in die Garage. Morgen ist Sperrmüllabfuhr, damit da nichts verwechselt wird.«

*

Hilflos stand Frau Schmalstich auf der Autobahn. Links und rechts an ihr zischten die Wagen vorbei. Kam ein Polizeiauto:
»He! Wollen Sie sich umbringen!«, rief ein Polizist. »Fahren Sie hier weg!«
»Herr Wachtmeister«, sagte Frau Schmalstich, als der Beamte ausgestiegen war. »Ich habe eine Reifenpanne. Bring aber den Ersatzreifen nicht rauf.«
»Moment«, sagte der Beamte. »Ich mach das für Sie!«
»Das ist aber nett von Ihnen«, meinte Frau Schmalstich. »Seien Sie aber, bitte, recht leise. Auf dem Rücksitz schläft nämlich mein Mann!«

*

»Und was können Sie uns heute empfehlen, Herr Ober?«
»Schnecken, mein Herr. Schnecken sind die Spezialität unseres Hauses.«
»Ich weiß, das letzte Mal hat uns eine bedient.«

*

»Nimm deine Hände aus der Tasche, wenn du mich grüßt!«, sagte Lehrer Linsenmeier.
»Ich habe Sie ja gar nicht gegrüßt«, antwortete Freddie.

Alex rast zum Bahnhof.
»Erwische ich noch den Zug nach Stuttgart?«, fragt er den Stationsvorsteher.
»Kommt darauf an, wie schnell du bist«, sagt der Stationsvorsteher. »Abgefahren ist der Zug vor einer Viertelstunde.«

*

Kommt einer in den Kramladen gestürzt und ruft:
»Schnell, ein Kilo Hundefutter.«
»Zum hier essen?«, fragt die alte Krämerin.

*

»Jetzt hab ich mein Auto drei Tage zur Reparatur in der Stadt gehabt. Und nun läuft der Karren wieder nicht!«, sagt der Farmer Potter zu Billy White, dem Mechaniker.
Da geht Billy langsam um das Auto rum und kratzt sich ausgiebig am Kopf. Dann tritt er dreimal kräftig gegen den Kühler und der Motor läuft wieder.
»Siehst du«, sagt er zu Potter. »Ich sag's immer. Die in der Stadt haben keinen Schimmer von Motoren!«

*

Sie fahren nach Buxtehude. Mami hat größte Mühe, ihre Bande in Schach zu halten.
Und immer wieder fragt sie einen dicken Herrn, der auch im Abteil sitzt: »Wann sind wir in Buxtehude?« Nach dem zweiundzwanzigsten Mal sagt der dicke Herr: »Da brauchen Sie nicht mehr zu fragen. Das merken Sie rechtzeitig am Aufatmen der anderen Fahrgäste.«

»Papi, Papi«, ruft Kläuschen. »Unser Waldi kann ein neues Kunststück. Er steht auf drei Beinen und mit dem vierten hält er sich am Wohnzimmerschrank fest!«

*

Die kleine Feldmaus darf mit ihrer Mami einen Abendspaziergang machen. Da streicht über ihnen eine Fledermaus vorbei.
»Du, Mami«, sagt die kleine Feldmaus. »Wenn ich einmal groß bin, möchte ich auch Pilot werden!«

*

Sie sind in Paris und stehen im Louvre vor der Mona Lisa. »Echt toll«, flüstert Katrin andächtig. »Die sieht genau aus wie auf den Fotos!«

*

In einem Schweizer Uhrladen:
»Sie, die Uhr, die Sie mir vor vier Wochen verkauft haben, die geht schon nicht mehr!«
»So? Die geht nicht mehr. Dann seien Sie doch froh, dann nützt sie sich nicht so rasch ab!«

Kurz vorm Einschlafen

»Warum sind Sie so schnell gefahren? Hier steht doch ausdrücklich: ›Gefährliche Kurve!‹ Können Sie nicht lesen?«
»Ja, genau deshalb, weil die Kurve so gefährlich ist, wollte ich möglichst schnell da durch!«

*

Häschen kommt ins Rathaus.
Häschen trifft einen Beamten und fragt: »Hattu Vollmacht?«
»Na klar«, sagt der Beamte, »hab ich Vollmacht.« »Muttu Hose wechseln«, sagt Häschen.

*

»Ich habe eine gute und eine schlechte Nachricht für euch«, sagt Bello, der Hofhund, zu den Gänsen. »Erzähle zuerst die gute!«
»O. k. Die Jäger haben alle Füchse im Revier erschossen.«
»Prima. Und jetzt die schlechte.«
»Morgen wird das mit einem großen Gänseessen gefeiert.«

*

Herr Mausmeier trifft Schlurfi, den Penner. Weil Herr Mausmeier gerade seinen guten Tag hat, gibt er dem Schlurfi ein Eurostück und sagt:
»Hier, trinken Sie einen Schnaps auf meine Gesundheit!«
Sieht Schlurfi Herrn Mausmeier an und sagt:
»So blass, wie Sie heute aussehen, ob da einer reicht ...?«

Irmi hat das höflichste Pferd der Welt. Immer wenn die beiden an ein Hindernis kommen, läßt das Pferd die Irmi zuerst hinüber.

*

»Wo wohnst du?«, fragt der Polizist den Penner Schlurfi.
»Nirgends«, sagt Schlurfi.
»Und du?«, fragt er Schlaffi.
»Ich? Ich bin sein Nachbar.«
»Und was hast du in den Plastiktüten, die du dauernd mit dir herumschleppst?«
»In den Tüten? Da hab ich mein Wohn- und Schlafzimmer, die Küche und das Bad.«

*

Polizist Meier zischt durch die Gegend und sucht einen Ladendieb.
Da fragt er die Gemüsefrau am Hauptmarkt: »Haben Sie einen Ladendieb gesehen?« »Einen Ladendieb?«, sagt die Gemüsefrau. »Nee, hier ist keiner mit einem Laden vorbeigekommen.«

*

»Wie haben Ihnen die Pilze geschmeckt, die wir Ihnen gestern frisch aus dem Wald mitbrachten?«, fragt Frau Meisegeier ihre Nachbarin.
»O, die waren sehr lecker«, sagt die Nachbarin. »Und wie fühlen Sie sich heute?«
»Danke, gut.«
»Donnerwetter«, sagt da Frau Meisegeier. »Dann waren die Pilze doch tatsächlich essbar.«

»In Pisa steht ein schiefer Turm.«
»Weiß ich.«
»Und weißt du auch, aus welchem Material er gebaut ist?«
»Na klar, aus Schiefer!«

*

Schlurfen zwei Schnecken die Straße entlang. Sagt die eine zur anderen: »Du, nimm das Gas weg. Da vorne ist eine Radarfalle.«

*

»Du«, sagt der Vater. »Dein Lehrer hat mir gesagt, er macht sich Sorgen wegen deiner Noten!«
»Und?«, meint Jupp. »Was gehen uns die Sorgen anderer Leute an!«

*

»Unglaublich, wie lang dieser Tunnel ist. Das hört ja nicht mehr auf!«, sagt Rudi.
»Das kommt davon«, antwortet der Graf Bobby, »weil wir im letzten Waggon sitzen!«

*

»Wo kann ich die leeren Flaschen abgeben?«, fragt Frau Mittelmeier den frisch eingestellten Lehrling.
»Das heißt nicht: leere Flaschen. Das heißt jetzt: Leergut«, verbessert der Lehrling.
»Also ja, wo kann ich das Leergut abgeben?«
»Dort drüben bei der Abgabestelle für leere Flaschen.«

»Wieso haben die Züge immer wieder Verspätung?«, schimpfen die Reisenden.
»Meinen Sie«, sagt der Stationsvorsteher, »dass wir unsere schönen Warteräume umsonst gebaut haben?«

*

»Was ich schon lange einmal fragen wollte«, sagt die ängstliche Tante Molli, »stimmt es, dass man einen elektrischen Schlag bekommen kann, wenn man mit einem Fuß auf die Straßenbahnschiene tritt?«
»Ja«, sagt der Schaffner. »Aber nur, wenn Sie gleichzeitig mit dem anderen Fuß die Oberleitung berühren.«

*

»Warum muss ich mir die Hände waschen«, mault Klausi. »Ich will sowieso nur Schwarzbrot essen.«

*

»Schmier dir Öl ins Gesicht«, sagt der Meister zum Lehrling. »Damit der Kunde auch glaubt, dass wir den Ölwechsel gemacht haben!«

*

Die Polizei hat die ganzen Herrschaften kassiert, die gestern Nacht in der Roxy-Bar waren. Kommissar Knoblinski verhört jetzt die Typen.
»Und?«, fragt er und deutet auf einen schmächtigen Kerl. »Gehört der auch zu eurer Tresorknacker-Bande?«
»Genau genommen nicht«, sagen die anderen. »Der war sozusagen nur Ehrenmitglied bei uns …«

Herr Kriechbaum ist stockbesoffen und fummelt mit dem Autoschlüssel an seinem Wagen rum, um hineinzukommen.
Ein Polizist, der ihn einige Zeit beobachtet hatte, geht hin und sagt:
»Hören Sie! Wenn man getrunken hat, dann nichts wie: Hände weg vom Steuer!«
»A ... aber Herr Wachtmeister. S S. . . sind Sie wahnsinnig!«, sagt Kriechbaum. »So besoffen wie ich bin. Da kann ich doch nicht auch noch freihändig fahren!«

*

Die Familie sitzt beim Mittagessen.
»Na, wie war's in der Schule?«, fragt Mami.
»Sag mal, suchst du schon wieder Streit?«, faucht Anja.

*

»Was hat Roman gesagt, dass du ihm die Luft aus dem Fahrrad gelassen und die Luftpumpe versteckt hast?«
»Eigentlich nicht viel – und die zwei Zähne hätte ich mir sowieso ziehen lassen müssen.«

*

Und wieder streikt der neue Wagen. Also heißt es schieben und schieben!
Dann eine kurze Verschnaufpause,und Mutti meint:
»Also, was uns der Autohändler erzählt hat, da war doch *jedes* Wort gelogen!«
»Das kannst du nicht sagen«, erwidert Vati. »In einem Punkt hatte er recht. Der Wagen braucht wenig Benzin.«

»Wie lange wollt ihr eigentlich bleiben?«, fragt Tante Martha.
»Nur so lange, bis wir dir auf die Nerven fallen!«
»O, nur so kurz!«

*

»Warum spielst du ausgerechnet mit den unartigsten Kindern der ganzen Umgebung?« »Weil die artigen Kinder nicht mit mir spielen dürfen.«

*

»Ich lasse die ganze Nacht Licht brennen, wegen der Einbrecher!«, sagt Tante Amelie.
»Ach, das brauchste nicht«, sagt Neffe Christian. »Die haben ja Taschenlampen!«

*

»Vati, was fressen Grottenmolche?«
»Grottenmolche? Ach, die fressen alles, was sie finden.«
»Und wenn sie nichts finden?«
»Dann fressen sie etwas anderes.«

*

Dave, Dick, Billy, Bob, Jimmy, kurz gesagt, die ganze Bande sitzt in Micks Saloon beisammen.
Auch der Sheriff ist da.
Da lästert einer herum: »He, Sheriff, was sitzt du da? Du sollst doch draußen rumlaufen und aufpassen, dass keiner was klaut!«
»Wer sollte draußen schon was klauen, wenn ihr hier sitzt!«, kontert der Sheriff.

Der alte Farmer Woody sitzt in der Kneipe herum, hält sich seine Backe und krümmt sich vor Schmerzen. »Mensch, an deiner Stelle würde ich sofort zum Zahnarzt gehen, das bringt doch so nichts«, sagt Humphrey. »Ich denk gar nicht dran«, sagt Woody. »So schmeiß ich das Geld nicht raus. Mein Sohn studiert und in drei Jahren ist er selber Zahnarzt!«

*

»Papa, darf ich von deinem Bier trinken?«, fragt Klausi. »Erst wenn du groß bist«, sagt Papa. »Jetzt bist du noch viel zu klein.«
»Aber wenn ich groß bin«, sagt Klausi, »hast du das Bier ja schon ausgetrunken.«

*

»Ich möchte lebende Heringe«, sagt Frau Miesmeisl in der Tierhandlung.
»Lebende Heringe führen wir nicht«, antwortet der Tierhändler. »Aber sagen Sie mir bloß, wozu brauchen Sie lebende Heringe?«
»Das ist so«, erwidert Frau Miesmeisl. »Eigentlich wollte ich Hühner anschaffen. Aber dann habe ich gelesen, dass so ein Hering eine Million Eier im Jahr legt ...«

*

Die Lehrerin ist wütend: »Immer wenn wir eine Klassenarbeit schreiben, kommst du nicht, weil deine Oma schwer krank ist. Wer soll dir das noch glauben?«
»Ja«, sagt Thomas. »Wir hatten auch schon manchmal den Verdacht, dass uns Oma etwas vormacht.«

Im stillen, abgelegenen Alpental plötzlich ein aufregendes Ereignis. Vom Kirchturm läuten mit einem Mal alle Glocken.
»Was ist los?«, fragen die Leute. »Warum läuten die denn?« Nur einer weiß es, der Ecker Jackl.
»Das ist, wenn einer unten daran zieht«, sagt er.

*

Marsmännchen Astrobbi sieht zum ersten Mal einen Radfahrer. »Also, so was Faules wie die Erdlinge«, sagt Astrobbi. »Sogar beim Gehen bleiben sie sitzen!«

*

Der Penner Schlurfi hat ein Vermögen für einen Kamm ausgegeben. Ganze achtzig Cent!
»Wie kann man nur sein Geld so zum Fenster hinauswerfen!«, tadelt ihn sein Freund, der Penner Schlaffi.
»Ging nicht anders«, sagt Schlurfi, »dem alten Kamm ist eine Zacke ausgebrochen.«
»Und deshalb musst du gleich einen neuen kaufen?«
»War die letzte Zacke«, sagt Schlurfi.

*

Sie haben ihre Rechenarbeit zurückbekommen. Eine glatte Katastrophe! Bei Ossi ist das Blatt nur noch rot.
»Hast du keine Angst, das da deinem Vater zu zeigen?«, wird er gefragt.
»Ach was, überhaupt nicht.«
»Und warum?«
»Weil Papi mir diese Aufgaben gemacht hat!«

»Was tust du heute Nachmittag?« »Nichts.«
»Du, da mach ich mit!«

*

»Kennst du den Unterschied zwischen einem Bäcker und einem Teppich?«
»Nein.«
»Der Bäcker muss um vier Uhr aufstehen, der Teppich darf liegen bleiben.«

*

»Weißt du, warum die Butter fett ist?«
»Klar, damit sie nicht quietscht, wenn man sie aufs Brot streicht.«

*

»Was ist gelb, hat zweiundzwanzig Beine und zwei Flügel?«
»Eine chinesische Fußballmannschaft.«

*

»Warum haben die Giraffen so einen langen Hals?«
»Weil die Blätter so hoch oben sind.«
»Und warum holen sich die Giraffen die Blätter von so weit oben?«
»Damit sie sich nicht bücken müssen.«

*

»Wie geht's?«, wurde Boris Becker gefragt.
»Na ja«, soll er gesagt haben, »man schlägt sich so durch.«

»Es sind vier Brüder und jeder von ihnen hat eine Schwester. Wie viele Kinder sind das zusammen?«
»Fünf, denk nur mal darüber nach!«

*

Der Mann vom Reparaturdienst kommt zur Tante Emilie.
»Sie haben mich rufen lassen. Wo fehlt's denn«, fragt er.
»Sie können wieder gehen«, sagt die Tante Emilie. »Die Sache ist schon in Ordnung. Mein Mann und ich hatten gestern nur die Brillen verwechselt.«

*

Doktor Balduin untersucht Herrn Kleinlein.
»Mann, Sie haben ja einen Reisewecker im Bauch!«, sagt der Doktor.
»Weiß ich, weiß ich«, antwortet Herr Kleinlein. »Das dumme Ding hat mich heut früh um halb fünf geweckt!«

*

Der Floh Isidor hat einen Sechser im Lotto.
»Und was machst du mit dem Geld?«, wird er gefragt.
»Zuallererst«, sagt Isidor, »muss ein Hund her. Aber ein Hund ganz für mich allein ...«

*

Warum sieht man im Tierpark keine Hühner?
... Weil sie den Eintrittspreis nicht bezahlen können.

*

Warum sind die Fußstapfen der Elefanten so groß?
– Damit die Füße hineinpassen.

»Ihre Haare werden allmählich grau«, sagt der Friseur.
»Kein Wunder! Bei Ihrem Arbeitstempo«, meint der Kunde.

*

»Jeder Euro, den ich besitze, wurde ehrlich verdient«, sagt der Multimillionär.
»Glaube ich, glaube ich«, sagt ein anderer. »Fragt sich nur, von wem?«

*

Papi ist durch nichts mehr zu erschüttern. Er sitzt am Schreibtisch. Da ruft Peppo:
»Du, Papi, die kleine Irmi hat eben meinen Kugelschreiber verschluckt!«
»Dann schreibst du eben mit dem Bleistift weiter!«, sagt Papi.

*

Mutti ist in Urlaub.
»Macht nichts«, sagt Moni. »Dann koch ich.«
Und Moni kocht. Während des Essens meint sie: »Bis jetzt kann ich nur zwei Gerichte. Bratkartoffeln und Pfannkuchen.« »Und was von beiden ist das hier?«, fragt der Bruder.

*

»Versteht euer Trainer was vom Fußball?«
»O ja. Vor dem Spiel erklärt er uns, wie wir gewinnen können. Und nach dem Spiel analysiert er, warum wir verloren haben.«

»Jetzt sind Sie ja schon wieder da!«, schimpft der Richter. »Und ich habe Ihnen doch gesagt, dass ich Sie so schnell nicht wiedersehen will!« »Das habe ich den beiden Polizisten auch klarmachen wollen«, sagt Gamaschen-Willi. »Aber die haben das ja nicht kapiert!«

*

»Welchen Spiegel braucht man nicht zu putzen?«
»Den Wasserspiegel.«
»Was sieht aus wie ein weißes Pferd, ist aber doch kein Pferd?«
»Ein Zebra, das seinen Schlafanzug in der Reinigung hat.«

*

Warum hat die Giraffe so einen langen Hals?
– Weil der Kopf so weit oben ist.

*

»Ich brauch kein Hotelzimmer«, sagt der geheimnisvolle Gast an der Rezeption. »Mir genügt ein langer Flur. Ich bin nämlich Schlafwandler.«

*

»Sie, sagen Sie mal rasch, wie komm ich hier zum Bahnhof Zoo?«, fragt einer.
»Können Sie das nicht ein wenig höflicher fragen?«, antwortet der andere.
»Nö. Da verloof ick mir lieba!«

»Was tust du?«
»Ich? Nix.«
»Und du?« »Auch nix.«
»Und du?«
»Ich helf den beiden.«

*

Warum gehen die Dösköpps immer zu dritt spazieren? Einer kann lesen, der andere kann schreiben, und der dritte ist stolz darauf, dass er mit so gescheiten Menschen spazieren gehen darf!

*

»Was gibt's heute?«, fragt die Löwenfamilie in der Wüste.
»Menschenauflauf«, sagt die Löwenmami.
»Schon wieder!«, maulen die Löwenkinder. »Können wir nicht den Großwildjäger kriegen, der gestern zu uns gekommen ist?«
»Nein, den gibt's nicht«, sagt die Löwenmutter. »Der kommt aus einer Großstadt. Der ist giftig.«

*

Die Schüler nennen ihre Lieblingstiere.
»Und was ist dein Lieblingstier?«, wird Heiner gefragt.
»Das halbe Hähnchen, Herr Lehrer!«

*

»Willst du, dass ich dir bei den Hausaufgaben helfe?«, fragt der Papa.
»Nein. Der Lehrer sagt, wir sollen unsere Fehler selber machen. Sonst lernen wir nichts.«

Früh am Morgen im Zoo.
»Warum schauen die Geier so blöd?« »Weil noch kein Aas da ist.«

*

»Es gibt Hunde«, sagt Andy, »die sind intelligenter als ihr Herrchen.«
»Das stimmt«, sagt Tommi. »So einen hab ich auch mal gehabt.«

*

Was tut ein Afrikaner im Lendenschurz auf einem Eisberg?
Frieren.

*

Wozu hat der Koch eine Mütze? Zum Aufsetzen.

*

Was wird aus Anna, wenn sie badet? Anna nass!

*

Was macht ein Schotte, wenn ihm der Hemdkragen zu eng ist?
Er lässt sich die Mandeln herausnehmen.

*

Wie heißt die Mehrzahl von Baum? Wald.

*

Wie heißt die Mehrzahl von schweigen? »Pssst!«

Was hat Beine und läuft nicht, hat Federn und fliegt nicht?
Das Bett.

*

Der alte Bommel sitzt an einer Straßenecke, hat einen Hut mit ein paar Münzen neben sich stehen und ein Schild um den Hals, auf dem das Wort »Stumm!« geschrieben steht.
Kommt ein Schutzmann vorbei und sagt:
»Du, Bommel! Für wie dumm hältst du uns eigentlich? Du bist doch vorige Woche hier gesessen und hast ein Schild um den Hals gehabt, darauf stand ›Blind!‹«
»Das haben Sie ganz genau beobachtet, Herr Wachtmeister«, sagt Bommel. »Aber inzwischen ist etwas Entscheidendes passiert. Ich hab nämlich ganz plötzlich wieder sehen können. Ja, und da bin ich vor Staunen stumm geworden.«

*

»Warum weint die kleine Susi?«
»Weil ich ihr geholfen hab.«
»Geholfen? Wobei?«
»Geholfen, die Schokolade aufzuessen.«

*

»Sag mal, kennst du die Familie Semmelmeier?« »Ja, das ist eine alteingesessene Familie.« »Aha, man merkt's an ihrem Sofa!«

Waldemar ist der faulste Ganove, den es je gab. Ruft er doch tatsächlich neulich bei der Bank an und sagt: »Dies ist ein Überfall. Überweisen Sie sofort hunderttausend Euro auf mein Konto 53 49 15!!!«

*

Bettina ist heute noch so müde. Und schwindlig ist ihr und Bauchweh hat sie auch. Und der Kopf tut weh. Kurz, sie kann heute unmöglich zur Schule. Da schreibt ihr Mutti eine Entschuldigung:
»Meine Bettina kann heute nicht zur Schule kommen. Sie hat Bauchschmerzen, Kopfweh und ein wenig Schwindel ist auch dabei.«

Zum Weitererzählen

»Mama, was macht man mit alten, verrosteten Autos, die nicht mehr richtig fahren können?«
»Man verkauft sie als einmalige günstige Gelegenheit deinem Vater!«

*

»Hast du in der Schule schon was gelernt?«, fragt der Vater seinen Sohn, der heute zum ersten Mal in der Schule war. »O ja.«
»Und was?«
»Dass die anderen alle viel mehr Taschengeld kriegen als ich!«

*

Ein Super-Düsenjet hebt vom Boden ab. Sowie er in der Luft ist, ertönt aus den Lautsprechern eine Stimme: »Meine Damen und Herren! Sie nehmen soeben an einem weltgeschichtlichen Ereignis teil: dem ersten vollautomatischen Flug. Piloten oder anderes Personal ist nicht an Bord. Grund zu irgendeiner Beunruhigung besteht nicht. Unser ATS-Qu-OP-System funktioniert absolut fehlerfrei ... solut fehlerfrei ... slut fehlrfriiiiiii.«

*

»Aber ich weiß ein Rätsel«, sagt Elfi, »das kriegt keiner raus!«
»Dann leg los!«, rufen die anderen.
»Also, was ist das: Morgens fährt man damit in die Schule. Nachmittags macht man damit Musik. Und am Abend putzt man sich damit die Zähne?«
»Das ist der Schulbus, eine Gitarre und eine Zahnbürste.«

In Russland, als Stalin noch regierte, wird ein Preisausschreiben für Bildhauer veranstaltet. Sie wollen für den geliebten Dichter Puschkin ein Denkmal setzen.
Den dritten Preis bekommt der Vorschlag: Puschkin, stehend zu den Sternen aufblickend. Der zweite Preis wird dem Vorschlag zugesprochen: Puschkin, im Kreise seiner Freunde. Mit dem ersten Preis aber wird der geniale Einfall ausgezeichnet: Genosse Stalin, ein Buch von Puschkin lesend.

*

Wie ist der Kupferdraht entstanden?
Zwei Schotten haben gleichzeitig einen Cent gefunden.

*

Theodor ödet seine Freunde mit Urlaubserinnerungen an. »Als wir den Steig erklommen hatten«, sagt er, »gähnte vor uns der Abgrund.«
»Was? Schon bevor du da warst?«, fragt Annette.

*

»Wenn du deine Hände suchst«, sagt der Meister, »die sind in deiner Hosentasche!«
»Wees ik«, sagt der Azubi. »Ick hab sie ja selber hineingesteckt!«

*

Müde und abgestresst kommt Papi vom Büro nach Hause. »Mami, was machen wir jetzt?«, sagt Monika. »Was zeigen wir ihm zuerst, meinen Arrestzettel, dein Strafmandat oder den Steuerbescheid?«

Irgendwo in den Bergen haben sie am Bahnhof ein kleines Klohäuschen stehen.
Und an der Türe ist ein Schild angebracht: »Schlüssel beim Stationsvorsteher.«
Ein Witzbold hat darunter geschrieben: »In dringenden Fällen wende man sich an die Generaldirektion in München.«

*

Kommt ein Mann in eine Kneipe und hat eine Ziege dabei. Sagt der Kneipenwirt: »Was willst du mit dem Schwein hier?«
Meint der Mann: »Das ist doch eine Ziege!«
Gibt der Kneipenwirt cool zurück: »Wer redet mit Ihnen? Ich spreche mit der Ziege hier.«

*

Drei Mädchen sitzen auf einer Alleebank und unterhalten sich über ihre Brüder.
»Was möchte dein Bruder einmal werden?«
»Der will zur Müllabfuhr. Weil er meint, die arbeiten nur am Freitag.«
»Und mein Bruder will Weihnachtsmann werden. Dann braucht er nur einmal im Jahr was tun.«
»Und meiner will Lehrer werden. Dann braucht er überhaupt nichts arbeiten. Meint er.«

*

Was ist das: Saust in der Luft herum und macht: »Mus - mus - mus«?
– Eine Fliege, die den Rückwärtsgang eingeschaltet hat.

Haben Sie die Tresoreinbrüche allein durchgeführt oder hatten Sie Komplizen?«, fragt der Richter.
»Ich arbeite grundsätzlich allein«, sagt Carlos, der weltbeste Ein- und Ausbrecher. »Es geht hier schließlich um viel Geld. Und man weiß nie, ob die anderen ehrlich sind.«

*

»Wenn ich mit einem Jahr davonkomme, kriegen Sie tausend Euro von mir«, sagt Otto Rabenklau zu seinem Verteidiger.
Und tatsächlich! Das Urteil lautet: ein Jahr.
Rabenklau strahlt, der Verteidiger auch.
»Dabei war das gar nicht so leicht«, sagt der Verteidiger.
»Die Burschen wollten Sie zuerst glatt freisprechen.«

*

»Du hast es schön«, schreibt Frau Rabenklau ihrem Mann, dem Otto Rabenklau, ins Gefängnis. »Du sitzt gemütlich in deiner Zelle. Und ich kann demnächst den ganzen Garten umgraben!«
Schreibt Otto Rabenklau seiner Frau einen Brief zurück:
»Lass um Himmels willen deine Pfoten von dem Garten.
Da hab ich nämlich die ganze Beute vergraben!«

*

»Kannst du mir zwanzig Euro leihen?«, sagt Udo zu Dolfi.
»Ich hab nur zehn Euro«, antwortet Dolfi.
»Macht nichts«, sagt Udo. »Dann gibst du mir die zehn Euro. Und die restlichen zehn Euro bleibst du mir schuldig.«

»Papa, ich möchte bitte zwanzig Euro haben.«
»Immer willst du haben. Denk doch auch mal ans Geben!«
»Also, gib mir bitte zwanzig Euro!«

*

Karlchen soll auf ein Pferd steigen. Es ist das erste Mal. Skeptisch betrachtet er die Steigbügelriemen.
»Und wie schnallt man diese Sicherheitsgurte an?«

*

Fridolin hat die Typen vom Reitklub zu einer Party eingeladen. Da war einiges los!
Am anderen Tag entschuldigt er sich bei den Leuten, die unter ihm wohnen: »Hoffentlich war´s nicht zu schlimm.«
»O nein«, sagen die. »Es war schon zum Aushalten. Aber sag mal, wie habt ihr es geschafft, die Pferde alle in die Wohnung zu bringen?«

*

Es ist schon verboten, wie Herr Schmalfuß durch den Ort fährt. Darum wird er auch von der Polizeistreife gestoppt und bekommt einen Strafzettel.
Er steckt ihn ein und sagt: »Durchlesen werde ich ihn erst zu Hause. Ohne Brille sehe ich nämlich so gut wie gar nichts, müssen Sie wissen.«

*

Warum hat der Mensch Ohren?
Damit er besser sehen kann – weil ihm sonst der Hut vor die Augen rutschen würde!

»Du, das war doch dein Lehrer.«
»Und warum grüßt du ihn nicht?« »Jetzt? In den Ferien?«

*

Was ist ein Pensch?
– Das Mittelstück vom Lampenschirm.

*

Wie kommt man am besten durch den Dschungel?
Als Tiger!

*

»Alles kann man, wenn man will!«
»Dann nagle mal einen Pudding an die Wand!«

*

»Könnte ich bitte hundert Gramm gemischte Nüsse haben?«, sagt unsere Tante Emilie.
»Aber ja«, antwortet Herr Krause, der Krämer.
»Und passen Sie auf«, sagt Tante Emilie, »dass nicht so viele Kokosnüsse dabei sind!«

*

Fritzchen ist mit seinem Auto zu schnell gefahren, kam in der Kurve ins Schleudern und liegt nun im Straßengraben, die Räder stehen nach oben.
Kommt die alte Tante vorbei: »Hast du einen Unfall gehabt?«
»Nein«, sagt Fritzchen. »Ich habe das Auto nur umgekippt, um zu sehen, ob sich die Räder noch drehen.«

»Was ist dein Vater?« »Innenarchitekt.« »Und außen?«

*

»Hast du Klopapier gekauft?«
»Nein, ich bring meine Sachen in die Reinigung!«

*

Wie kann man ein ostfriesisches U-Boot versenken? Man schwimmt von unten hin und klopft an. Dann macht bestimmt einer auf, um nachzuschauen, wer ihn da ärgert.

*

Warum sind Dinosaurier so runzlig?
Weil sich keiner traut, sie zu bügeln.

*

Warum kann ein Esel nicht Rad fahren?
Weil er keinen Daumen zum Klingeln hat.

*

»Wieso schreibst du ›Warnung vor dem Hund‹ an deine Gartentür? Das bisschen Hund da ist doch nicht viel größer als eine Maus!«
»Drum schreib ich's ja hin. Damit keiner auf ihn tritt!«

*

»Jetzt wissen wir, warum die Engländer so fanatische Teetrinker sind.«
»Und warum?«
»Hast du schon einmal in England einen Kaffee probiert?«

»Du kannst sagen, was du willst!«, tobt die Schwester. »Das geht bei mir zum einen Ohr rein und zum anderen raus!«
»Ist mir klar«, sagt der Bruder. »Es ist ja nichts dazwischen!«

*

Die Familie Lausemeier fährt in Urlaub. In Hinterdripsdrill angekommen, kriegt Frau Lausemeier einen Riesenschreck.
»Um Himmels willen!«, schreit sie auf, »ich hab daheim vergessen, das Bügeleisen auszuschalten! Das Haus brennt ab!«
»Da kann überhaupt nichts passieren«, beruhigt Herr Lausemeier, »ich hab nämlich vergessen, das Badewasser abzustellen.«

*

In der großen Pause geben die Schüler mit ihren Vätern an. »Mein Vater«, sagt der eine, »hat das Loch für den Bodensee gegraben!«
»Und meiner«, sagt der andere, »hat das Tote Meer erschlagen.«

*

»Jetzt wird's bald Frühling«, sagt der alte Semmelmann.
»Woran merkst du das?«, fragte seine Frau.
»Weil unser Nachbar die Schneeschaufel zurückgebracht und unseren Rasenmäher ausgeliehen hat.«

Der Sheriff weist Jonathan, den neuen Hilfssheriff, in seine Aufgaben ein.
»Und das hier ist dein Revier«, sagt er. »Es reicht vom Bahnhof bis da vorn zu dem grünen Lastwagen. Siehst du den grünen Lastwagen?«
»Ja«, sagt Jonathan.
»O. k.«, sagt der Sheriff, »dann kontrollier mal gleich dein Revier!«
Jonathan zieht los und kommt eine Woche lang nicht mehr, kommt zwei Wochen nicht mehr. Endlich nach drei Wochen ist er wieder da.
»Verdammt, wo hast du dich herumgetrieben?«, brüllt der Sheriff. »Na ja«, sagt Jonathan, »wenn doch dieser grüne Lastwagen bis nach Santa Fe vorausgefahren ist!«

*

Ein amerikanischer Ölmilliardär kommt nach zehn Jahren wieder durch Paris und sieht den Eiffelturm.
»Jetzt bohren die Boys immer noch«, sagt er, »und Öl haben sie trotzdem immer noch keines gefunden!«

*

Urs hat sich den Magen verkorkst. Darum darf er nur Milch trinken und muss Brei essen. »Jetzt ist mir klar«, sagt er, »warum die Babys dauernd schreien.«

*

»So etwas Schmutziges wie deine Hände habe ich noch nie gesehen!«
»Dann müssten Sie erst mal meine Füße sehen!«

Man tauscht Sammelbilder.
Dirk hat ein Bildchen, darauf steht: »Luther 1517.« »Was bedeutet die Zahl 1517?«, wird er gefragt.
»Das ist dem Luther seine Telefonnummer«, erklärt Dirk sachkundig.

*

Tina und ihr Bruder waren im Kino und haben sich verspätet. Sehr verspätet sogar.
»Mensch, jetzt aber nichts wie heim!«, sagt Klaus.
»Das wäre total bescheuert«, meint Tina. »Jetzt bekämen wir Ärger. Wir warten lieber, bis es ganz dunkel ist. Dann kriegen sie Angst und sind glücklich, wenn sie uns wiederhaben!«

*

Michi und Moni sind sauer. Sie müssen im Kinderzimmer bleiben, während die Eltern im Wohnzimmer eine Party mit vielen Gästen feiern.
Da sagt Michi zu Moni: »Pass auf. Jetzt sind wir zehn Minuten lang absolut still. Total mausestill, verstehst du.«
»Warum jetzt das?«
»Mensch, das macht die irre nervös!«

*

»Anschi!«, schimpft Mutti. »Woher hast du so hässliche Worte!«
»Vom Nikolaus.«
»Vom Nikolaus? Erzähl doch keine Märchen!«
»Doch. Vom Nikolaus. Den hättest du hören sollen, wie der in unserem Garten über die Gießkanne gefallen ist!«

Welches Tier sieht aus wie ein Storch und ist keiner?
Die Störchin.

*

Welcher Wein wächst am Fuße des Vesuvs? Glühwein.

*

Mami hat beschlossen, aus Ulrike ein feines Mädchen zu machen.
»Hör gut zu«, sagt sie zu Ulrike. »Vor allem will ich zwei Ausdrücke nie mehr von dir hören! Der eine ist saublöd und der andere ist Scheiße!«
»Klar, Mami, machen wir«, sagt Ulrike. »Und welche beiden Ausdrücke meinst du nun?«

*

»Wir wollen heute über das Thema ›Die Lüge‹ sprechen«, sagt der Professor zu seinen Studenten. »Zu Beginn eine Frage: Wer von Ihnen hat schon mein Buch: ›Die Lüge im Leben der Menschen‹ gelesen?«
Es melden sich mindestens zwanzig Zuhörer.
»Soso«, meint der Professor. »Da haben wir bereits ein wertvolles Beispiel. Mein Buch kommt erst in vier Wochen auf den Markt.«

*

»Ich hab doch ein Pech!«, jammert unser Torwart. »Immer krieg ich die Bälle auf den falschen Fuß. Wo ich doch mit rechts viel besser bin!«
»Weißt du was, vertausch doch mal deine Schuhe, vielleicht hilft das!«

Großer Amateurwettbewerb in Charlys Disco. Jeder darf vorsingen. Also singt auch meine Schwester.
»Mensch, die müsste im Radio singen«, sagt da so ein Typ neben mir.
»Findest du die so gut?« »Das gerade nicht. Aber am Radio ist ein Knopf. Da könnte man abstellen.«

*

»Hörst du noch was von den tausend Euro, die du dem Harald geliehen hast?«
»Und ob, jeden Tag von morgens bis abends. Der Harald hat sich davon nämlich eine Stereoanlage gekauft.«

*

»Ich hab doch ein Pech!«, jammert unser Torwart.
»Immer krieg ich die Bälle auf den falschen Fuß. Wo ich doch mit rechts viel besser bin!«
»Weißt du was, vertausch doch mal deine Schuhe, vielleicht hilft das!«

*

Was ist, wenn ein Ölscheich einen Rolls-Royce mit Goldbeschlägen und allen Schikanen kauft?
Dann wirft er ein Paket Tausenddollarnoten auf den Tisch und sagt: »Den Rest geben Sie mir in Golfs raus!«

*

»Warum hat Heini kein Moped mehr?« »Hat sich nicht rentiert. Einmal war das Moped in Reparatur, dann wieder war der Heini in Reparatur.«

Nach drei Tagen erscheint der Ölscheich wieder beim Autohändler.
»Noch mal den gleichen Rolls-Royce!«, sagt er.
»Wieso, waren Sie mit dem ersten nicht zufrieden?«
»Doch, doch. Ich hab nur den Autoschlüssel verloren.«

*

»Herr Ober, das nennen Sie Apfelkuchen? Da ist ja nicht ein einziges Stück Apfel drin.«
»Ja und? Haben Sie schon mal in einem Blitzkuchen einen Blitz gesehen? Oder in einem Hundekuchen einen Hund? Oder in einem Marmorkuchen ein Stückchen Marmor? Oder gar in einem Sandkuchen Sand?«

*

»Das ist Umweltverschmutzung!«, sagt Wachtmeister Grünbauch. Und Uli muss zehn Mark Strafe zahlen. Dafür schreibt ihm Wachtmeister Grünbauch eine Quittung.
»Was soll ich mit diesem Wisch?«, sagt Uli.
»Den kannste ruhig wegwerfen«, sagt der Wachtmeister.

*

Rocker stürmen eine Kneipe.
»Raus! Ihr Stinktiere!«, brüllen sie.
Und jeder verschwindet, so schnell er kann. Nur ein baumlanger Brite bleibt ruhig an seinem Tisch sitzen.
»Was ist los mit dir!«, brüllt ein Rocker.
»War eine Menge Stinktiere da, nicht wahr?«, sagt der Brite.

Bronzi bekommt einen neuen Zellengenossen. »Warum sitzt du hier?«
»Weil ich beim Bleigießen Glück hatte.« »Versteh ich nicht.«
»Na ja, es sind lauter Dollarmünzen geworden.«

*

Bronzi ist ganz aus dem Häuschen. Er wurde bestohlen. »So eine Gemeinheit!«, schimpft er. »Den ganzen Wochenlohn hat mir der Kerl geklaut!« »War's viel?«, wird er gefragt.
»Zehn Brieftaschen!«, sagt Bronzi.

*

Pause im Ring. Unser dritter Kreismeister jappst nach Luft und fragt dann den Trainer:
»Und? Wo hat der Gegner seine schwache Stelle?«
»Immer wenn du am Boden liegst und angezählt wirst, lässt er seine Deckung sinken!«

*

Fragt der Geschäftsführer den Ober: »Was hat der Gast von Tisch sieben ins Beschwerdebuch geschrieben?«
»Nichts. Er hat nur das Schnitzel hineingeklebt.«

*

»Sie sind so blass«, sagt der Professor vor der Prüfung. »Haben Sie Angst vor meinen Fragen?«
»Nein. Ich habe Angst vor meinen Antworten«, sagt der Student.

»Kennst du den Unterschied zwischen einem Klavier und einer Kinderbadewanne?«
»Nein.«
»Dann pass auf, wenn du dir einmal ein Klavier kaufen willst, dass du nicht mit einer Kinderbadewanne heimkommst!«

Zum Auswendiglernen

Herr Stopka, der Mann mit dem großen Durchblick, kommt an eine Tankstelle.
»Sie sind der Letzte, der den alten Preis bekommt«, verriet der Tankwart.
»Dann machen Sie mal den Tank schön voll«, sagte Herr Stopka. »Und hinten sind zwei Kanister, die machen Sie auch voll!«
Beim Zahlen dann fragte Stopka: »Und wie ist der neue Preis?« »Der«, sagte der Tankwart, »der ist um fünf Cent billiger pro Liter.«

*

»Schade, jetzt bekomm ich kein Auto mit Automatik!«
»Warum nicht?«
»Weil heuer ein Schaltjahr ist!«

*

Zwei Autos knallen aufeinander. Brüllt der eine Fahrer: »Mensch! Mann! Sind Sie blind?« Sagt der andere: »Wieso? Ich hab Sie doch genau getroffen!«

*

Übrigens: Warum sind im Bahnhofsrestaurant die Portionen so klein?
Damit die Gäste nicht ihre Züge verpassen.

*

»Seufz«, sagt der genervte Bergwanderer. »Die ganzen Felsspalten, Schluchten und Krater sollte man endlich einmal zugipsen.«

Sie sind in der Stadt gewesen und haben einen neuen Scheibenwischer gekauft.
Die kleine Nina durfte mit.
»Papi hat sich heute einen neuen Halter für die Strafzettel gekauft«, erzählte sie später jedem, der es wissen wollte.

*

»He, Herr Ober! Ihnen ist mein Schnitzel auf den Boden gefallen! Passen Sie auf, dass der Hund nicht drankommt!« »Kriegt er nicht«, sagt der Ober. »Ich hab schon meinen Fuß drauf!«

*

»Das ist doch eine Schweinerei«, sagt der Feriengast zum Fremdenverkehrsdirektor, »Da wird das ganze Abwasser und der ganze Dreck vom Hotel in die Bucht geleitet, wo wir baden sollen.«
»Mein Herr«, antwortet der Fremdenverkehrsdirektor, »beachten Sie aber, dass das der Dreck von einem First-class-Nobelhotel ist!«

*

»Ich muss Ihnen ein Geständnis machen«, sagt der Chef zu seinen Leuten. »Ich bin wahnsinnig abergläubisch, müssen Sie wissen. Ich zahle darum zum Beispiel nie ein dreizehntes Monatsgehalt!«

*

»Herr Ober, der Kaffee war eiskalt.«
»Gut, dass Sie das sagen. Denn Eiskaffee kostet bei uns einen Euro mehr.«

Das Dorf Hintermoorfeldhausen soll eine Verkehrsampel bekommen. Aber der Gemeinderat berät hin und her. Da ruft einer vom Landratsamt an:
»He, was ist los mit euch! Was gibt's da noch zu überlegen?«
»Der Gemeinderat kann sich nicht einigen wegen der Auswahl der Farben«, muss der Bürgermeister berichten.

*

»Warst du brav in der Schule?«, will die Mama vom kleinen Ernstl wissen.
»Was kann man schon anstellen, wenn man den ganzen Vormittag in der Ecke stehen muss!«, schimpft Ernstl.

*

»Ich werde das nie kapieren! Warum soll ich Englisch lernen?«, schimpft Dolfi.
»Überleg doch mal«, sagt der Vater. »Die halbe Welt spricht Englisch!«
»Na und?«, meint Dolfi. »Reicht das immer noch nicht?«

*

»Ich lebe vom Schweiß meiner Mitmenschen«, sagt Herr Müller.
»Und das getrauen Sie sich so ohne weiteres zu sagen?«
»Na klar. Ich bin der Besitzer einer Sauna!«

*

»Wurden in eurer Stadt große Männer geboren?« »Soviel ich weiß, wurden hier immer nur kleine Kinder geboren.«

»Ich habe ein ganz ausgezeichnetes Gedächtnis«, sagt Herr Meierlein. »Nur drei Dinge kann ich mir nicht merken: erstens Namen, zweitens Zahlen und drittens, drittens ... das habe ich jetzt vergessen!«

*

Tante Thea ist wahnsinnig ängstlich. Ganz schlimm wird es, als sie einmal fliegen soll. Sie geht vor dem Start zur Stewardess und fragt: »Fräulein, bitte schön, stürzt so ein Flugzeug öfter ab?«
»Meistens nur einmal«, sagt beruhigend die Stewardess.

*

»Glaubst du, dass es Menschen auf anderen Sternen gibt?«
»Na klar. Sonst wären die Dinger doch nicht jede Nacht beleuchtet!«

*

»Sie können mir doch nicht einen Chor mit nur drei Sängern geben. Das ist ja lachhaft«, sagt der neue Dirigent zum Theaterdirektor.
»Da kennen Sie unser Publikum nicht«, antwortet der Theaterdirektor. »Was glauben Sie. Die sind so begeistert bei der Sache. Die singen sofort mit.«

*

»Herr Ober! Sie haben den Daumen in meiner Suppe.«
»Das ist nett von Ihnen, dass Sie mich darauf aufmerksam machen. Aber es stört nicht. Die Suppe ist bereits kalt.«

»Findest du nicht, dass die Schlamm-Gesichtsmaske unsere Uschi hübscher gemacht hat?«
»Ja. Aber nur solange sie die Maske drauf hat.«

*

»Gestern hab ich bei Auto-Meier einen ganz tollen Wagen im Schaufenster gesehen. Ich war so begeistert, dass ich ihn gleich gekauft habe.«
»Und wo ist der Wagen jetzt?«
»Ich hab ihn im Schaufenster stehen lassen. So einen günstigen Parkplatz krieg ich nie wieder!«

*

Kalle hat bei der Stadt eine Anstellung gekriegt. Er bekommt einen Schlüssel und den Auftrag, alle Parkuhren zu leeren. Begeistert zischt Kalle ab.
Dann hat man zwei Monate lang nichts mehr von ihm gehört. Endlich trifft ihn sein Chef auf der Straße.
»Sag mal, Kalle, wo steckst du denn die ganze Zeit. Nicht einmal dein Gehalt hast du abgeholt!«
»Was?«, sagt Kalle. »Gehalt bekomm ich auch noch?«

*

»Mutti, was wird aus dem Menschen, wenn er einmal gestorben ist?«
»Dann zerfällt er zu Staub.«
»Auweia. Dann ist unter meinem Bett schon eine ganze Fußballmannschaft gestorben.«

Mami schimpft: »Weißt du, was aus Mädchen wird, die ihren Teller nicht leer essen?«
»Ja«, strahlt Kerstin. »Die bleiben schlank, werden zuerst Mannequin und dann steinreich!«

*

Dies ist eine Geschichte vom schweigsamen Cowboy. Der schweigsame Cowboy wollte heiraten. Er setzte seine Braut vor sich aufs Pferd, ritt die zwölf Meilen zum Sheriff, ließ sich trauen und ritt wieder nach Hause.
Nach vier Meilen stolperte das Pferd.
»Eins«, sagte da der schweigsame Cowboy.
Acht Meilen waren sie geritten, da stolperte das Pferd wieder.
»Zwei«, sagte der Cowboy.
Kurz vor der Ranch stolperte das Pferd zum dritten Mal.
»Drei«, sagte der Cowboy. Dann stieg er ab, zog seinen Colt und erschoss das Pferd.
Da war die Braut entsetzt. »Um Himmels willen«, rief sie. »Was habe ich da geheiratet. Du bist ja wahnsinnig. Das tut man doch nicht!« Da deutete der schweigsame Cowboy in Richtung Braut und sagte: »Eins.«

*

Kommt einer in einen Saloon und brüllt: »Ist in diesem Saftladen überhaupt nichts los?«
»Heute nicht«, bekommt er zur Antwort. »Die Boys sind alle auf dem Friedhof und begraben denjenigen, der gestern hier hereinkam und gefragt hat: Ist in diesem Saftladen überhaupt nichts los?«

Kommt ein Cowboy in einen Saloon und wundert sich: »Warum habt ihr hier überall Sägespäne gestreut?«
»Das sind keine Sägespäne. Das sind die Möbel von gestern Abend!«

*

In einem ICE-Zugabteil: Ein Reisender steigt zu und sagt zu einem, der schon dasitzt: »Nimm sofort den Koffer vom Sitzplatz runter!«
»Nein«, sagt der andere, »den Koffer nehm ich nicht runter!«
»Du sollst den Koffer runternehmen!«
»Nein, ich nehm ihn nicht runter!«
So brüllen sie sich eine Weile an. Dann holt der Reisende den Schaffner.
»Ja, warum nimmst du ihn denn nicht runter?«, fragt der Schaffner den Mann mit dem Koffer.
»Weil mir der Koffer gar nicht gehört!« »Wem gehört er denn?«
»Hier, meinem Freund Karli!«, sagt der Mann.
Da brüllen Schaffner und Reisender den Karli an: »Warum hast du dann nicht den Koffer heruntergenommen?«
»Zu mir«, meint Karli, »hat ja keiner was gesagt!«

*

»Warum haben Sie parkende Autos aufgebrochen?«, fragt der Richter.
»Ja, wissen Sie«, sagt Bommel. »Ich bin nicht mehr der Jüngste. Und da wären mir fahrende Autos einfach zu schnell gewesen.«

Die Bankräuber kommen nachts aus dem Schalterraum und schleppen schwere Säcke Geld mit sich.
Aber kaum, dass sie an der nächsten Ecke sind, geht's schon los mit Polizeisirenen, Scheinwerfern, Lautsprechern, Hundegebell.
»Nicht zu glauben«, sagt der eine von ihnen. »Es ist, wie schon meine Mama gesagt hat. Kaum haste Geld, fangen die Sorgen erst an!«

*

»Wie viele Beine hat ein Esel?«
»Zwölf.«
»Zwölf?«
»Ja. Zwei vorn, zwei hinten, zwei links, zwei rechts, und an jeder Ecke noch eines.«

*

»Du wolltest doch mit Hugo Schach spielen?«
»Ich mag aber nicht mehr.«
»Und warum nicht?«
»Wie soll ich mit ihm Schach spielen, wenn er mir dauernd die Figuren wegnimmt!«

*

»Wie viele Rechenaufgaben waren es heute bei eurer Klassenarbeit?«
»Zwölf«, antwortet Tommi.
»Und wie viel hast du falsch?«, fragt Vati.
»Nur eine!«
»Das ist ja großartig! Und die andern elf?«
»Zu denen bin ich nicht mehr gekommen!«

»Was gibt sieben und sieben?«, fragt der Lehrer. »Ganz feinen Sand«, antwortet der Schüler.

*

»Weißt du, wie die Verrückten ihre Butter aufs Brot schmieren?«
»Nein.«
»Dann bist du noch dümmer als die Verrückten.«

*

»Warum summen die Bienen?«
»Weil sie den Text nicht auswendig können.«

*

LASST BLUMEN SPRECHEN! So steht es auf einem Plakat in der Gärtnerei.
Kommt Dolfi herein und fragt:
»Haben Sie vielleicht einen Kaktus, der ›Alles Gute zum Muttertag‹ sagen kann?«

*

»Was ist ein Matrose, der sich nicht wäscht?« »Ein Meerschweinchen.«

*

»Du, pass auf«, sagt Jimmi zu Bert am Bootsverleih, »dieser Kahn da hat Löcher im Boden!«
»Sei doch nicht so pingelig«, meint Bert. »Unter Wasser sieht's doch keiner.«

»Alle Brüder sind sonderbar«, sagt Petra. »Meiner nicht«, meint Sabine.
»Deiner nicht? Sonderbar«, sagt Petra.

*

»Edwin, wo warst du den ganzen Tag?«
»Ich habe Tante Gertrudis besucht.«
»Du liebe Zeit! Hat sie dich denn überhaupt brauchen können?«
»Und ob! Wie ich gekommen bin, hat sie gesagt: ›Du hast mir gerade noch gefehlt!‹«

*

Herr Molle ist mit dem Ozeanriesen von Hamburg nach New York gefahren.
Dort verlässt er das Schiff und sieht, wie eben ein Taucher in voller Ausrüstung an Land steigt.
»Also, wenn ich das gewusst hätte, dass man da auch zu Fuß gehen kann, dann hätte ich mir das teure Fahrgeld gespart!«, sagt Molle.

*

»Wie fandest du das Wetter im Urlaub?«
»Ganz einfach. Ich ging vors Haus und da war's dann.«

*

»Und jetzt hoffe ich«, sagt der Richter zu Carlos, dem weltbesten Ein- und Ausbrecher, »dass ich Sie zum letzten Mal hier sehen muss!«
»Das ist aber schade«, sagt Carlos. »Werden Sie pensioniert?«

Andi stöhnt: »Immer quatschen sie von Lehrermangel. Bei uns fehlt nie einer!«

*

Kommt so ein Typ in Charlys Kneipe.
»Schnell! Einen doppelten Whisky, bevor es hier losgeht!«, sagt der Typ.
Er kriegt seinen Whisky und trinkt ihn auf einen Zug aus. Dann sagt er:
»Los! Noch einen doppelten Whisky, bevor es hier losgeht!«
Er kriegt auch den zweiten und trinkt aus. Und dann sagt er: »Jetzt noch einen Doppelten, bevor es hier losgeht!«
Charly gibt ihm auch den noch und sagt:
»Was soll hier eigentlich losgehen – und außerdem: Wie wär's mit dem Bezahlen ...?«
Da sagt der Typ: »Ich hab's ja gleich gesagt. Schon geht's los!«

*

Chris kommt wieder einmal zu spät zur Schule.
»Welche Ausrede hast du heute?«, fragt die Lehrerin.
Chris: »Keine.«
Und die Lehrerin: »Und das soll ich dir glauben?«

*

»Wie kann man im Urwald feststellen, dass der große Regen kommt?«
»Ganz einfach, wenn die Tiger feuchte Nasen haben.«

»John«, sagt der Lord. »Ich habe nach Ihnen geläutet und Sie sind nicht gekommen.«
»Verzeihung, Mylord, ich habe das Läuten nicht gehört«, antwortet der Butler.
»Schon gut«, sagt der Lord. »Aber wenn Sie mein Läuten wieder einmal nicht hören, dann kommen Sie und sagen es mir, damit ich Ihnen noch einmal läute!«

*

»Sehen Sie, Herr Kollege«, sagt ein Professor zum anderen. »Da lümmelt sich wieder die ganze elfte Klasse zum Fenster hinaus!«
»Unglaublich, unglaublich!«, sagt der andere. »Und wenn dann einer hinunterfällt, dann will's wieder keiner gewesen sein!«

*

Kommt zu einem alten Knasti ein neuer Zellengenosse.
»Wie lange bleibst du?«, fragt der alte Knasti.
»Fünfzehn Jahre«, sagt der neue.
»Und ich habe zwanzig«, sagt der alte.
»Weißt du was«, sagt der neue. »Dann nehm ich das Bett vorn, ich komm ja früher raus.«

*

Wie konntest du nur den Wildhüter anschießen!«, sagt einer zu Mister Kleinhirn, dem Großwildjäger. »Ich wollte doch nur den Springbock treffen!«
»Ja, aber der Wildhüter hat dir zugerufen: ›Nicht schießen! Ich bin der Wildhüter!‹«
»Und ich habe gedacht, der Bock wollte bluffen!«

Witze, die man am besten gleich wieder vergisst

Ein Orkan im Bermuda-Dreieck. Das Schiff wird herumgeworfen, die Aufbauten verabschieden sich schön langsam, es sieht nicht gut aus.
»Hoffentlich sinkt das Schiff nicht!«, stöhnt Hein Achter.
»Das kann uns doch egal sein«, meint der schlaue Bonzi.
»Ist es unser Schiff?«

*

»Das Spiel ist nicht schlecht, nur fehlen leider die Tore«, stellt Hubert fachmännisch fest.
»Das stimmt nicht«, sagt Tante Molli, die zum ersten Mal auf einem Fußballplatz ist. »Schau doch, auf jeder Seite vom Spielfeld steht eins!«

*

Wolfi kommt in die Drogerie.
»Bitte einen Karton mit hundert Mottenkugeln.«
»Warst du denn nicht gestern schon wegen Mottenkugeln da? Und auch vorgestern und vorvorgestern?«, fragt der Drogist.
»Ja, treffen Sie mit jeder Kugel?«, fragt Wolfi.

*

»Als was gehst du im Karneval?«, fragt Moni. »Als Taube«, sagt Susi.
»Und wie machst du das?«
»Ganz einfach. Ich steck mir Watte in die Ohren.«

*

»Jetzt ist das Ei schon wieder zu hart!« »Mach die Schale ab, dann wird es weicher!«

»Wo liegt Afrika?«, fragt Rainer.
»Weiß ich nicht genau«, sagt Alex. »Aber weit kann's nicht sein. Bei uns im Betrieb arbeitet ein Afrikaner. Der geht jeden Mittag zum Essen heim.«

*

Herr Fritz hat seine Aktentasche irgendwo stehen gelassen. Aber wo? Er denkt hin, er denkt her, es fällt ihm nicht mehr ein.
Abends, als er heimkommt, sagt Frau Fritz: »Du, ich hab im Fundbüro angerufen. Deine Aktentasche ist dort!«
Und wieder denkt Herr Fritz hin und her.
»Komisch«, sagt er. »Ich kann mich gar nicht erinnern, dass ich gestern im Fundbüro gewesen bin!«

*

Billi und Bulli warten auf die Straßenbahn.
»Mit welcher Linie fährst du?«, fragt Billi.
»Mit der Linie 1. Und du?«
»Mit der 3.«
Da kommt die Linie 13 angerattert.
»Weißt du was?«, sagt Billi zu Bulli. »Fahren wir zusammen.«

*

Im Zoo ist ein Arbeitsplatz frei. Sie suchen einen Wärter für besonders giftige Schlangen. Isidor meldet sich. »Tut mir schrecklich leid«, sagt der überaus freundliche Direktor. »Vor fünf Minuten haben wir bereits jemanden eingestellt. – Aber wenn Sie morgen wieder vorbeischauen möchten …«

»Herr Ober! Sie können doch nicht meine Bockwurst mit dem Daumen festhalten!«
»Muss ich, muss ich, mein Herr. Oder wäre es Ihnen vielleicht lieber, wenn sie mir noch ein drittes Mal in den Dreck fällt?«

*

»Woher hast du die Beule am Kopf?«
»Siehst du die Glastür da?«
»Ja.«
»Aber ich hab sie nicht gesehen.«

*

»Sag mal, Pepi, wieso isst du den Apfel ganz allein auf? Warum kriegt dein kleiner Bruder gar nichts davon?«
»Doch, der kriegt auch was davon. Der kriegt sogar alle Kerne. Die kann er einpflanzen. Und wenn er mal groß ist, dann hat er einen ganzen, tollen Baum voller Äpfel!«

*

Philipp blättert in einer Statistik. »Schrecklich«, sagt er, »pro Sekunde stirbt ein Mensch. Das heißt also, immer wenn ich ausatme, stirbt einer!«
»Hast du es schon einmal mit Mundwasser probiert?«, fragt sein Freund.

*

»Warum ist in den Weltmeeren so viel Wasser?« »Damit es nicht staubt, wenn die Schiffe bremsen.«

»Was soll dieser Schlauch an der Waschmaschine?«, fragt Herr Emmerich.
»Der ist für den Wasserzufluss.«
»Und dieser Schlauch?«
»Der ist für den Wasserabfluss«, sagt der Händler.
»Ich höre immer Wasser«, wundert sich Herr Emmerich.
»Ich dachte, die Waschmaschine wäscht elektrisch!«

*

»Gestern hat Papi unserer Mami einen langen Vortrag gehalten, dass wir sparen müssen.«
»Und? Was ist jetzt?«
»Papi kriegt kein Bier mehr.«

*

»Hör mal, du wolltest doch mit Rainer ›Mensch, ärgere dich nicht‹ spielen!«
»Ja, schon. Aber möchtest du mit jemandem spielen, der dauernd schummelt?«
»Nein, natürlich nicht.«
»Siehst du, das hat Rainer auch gesagt.«

*

»Mutti, ich mag aber nicht nach Amerika!« »Sei still! Und schwimm weiter!«

*

»Haben Sie die Blutegelkur gemacht?«, fragt Doktor Braun.
»Ja«, sagt Frau Hirnmoser. »Ich hab sie weichgekocht. Roh hätte ich sie nicht runtergekriegt.«

»Susi! Du sollst die Leute auf der Straße nicht mit Dreck bespritzen!«
»Muss ich warten, bis ich ein Auto habe, Papa?«

*

»Wenn ich dieses Zweieurostück in diese Säure werfe«, sagt der Chemielehrer, »wird es sich dann auflösen oder nicht?«
»Es wird sich sicher nicht auflösen«, sagt Tina.
»Und warum weißt du das so genau?«
»Weil Sie es sonst nicht hineinwerfen würden, Herr Studienrat!«

*

»Kennst du ein Säugetier mit acht Beinen?«
»Gibt es nicht!«
»Doch, das Pony!«
»Mensch, du spinnst. Wo hat das acht Beine?«
»Pass auf: Zwei Beine vorn, zwei Beine hinten, zwei Beine links und zwei Beine rechts. Macht zusammen?«

*

Warum gibt es in der Schweiz so viele Häuser aus Holz?
Weil sie die Steine alle für ihre Berge gebraucht haben.

*

Die Surfer flitzen über die blauen Fluten der Südsee-Bucht. Unter Wasser lecken sich die Haifische die Lippen. »Toll«, sagen sie. »Jetzt servieren sie uns den Imbiss schon auf Frühstücksbrettchen mit Serviette!«

Er hat sich in der Schweiz eine Uhr gekauft. Und jetzt kommt er in den Laden zurück und beschwert sich: »Vor vier Wochen war ich bei Ihnen. Sie haben damals gesagt, diese Uhr würde bis an mein Lebensende halten. Und jetzt ist sie kaputt!«
»Mein Herr«, sagt der Uhrenverkäufer, »Sie können es sich gar nicht vorstellen, wie schlecht Sie vor vier Wochen ausgesehen haben!«

*

Julius macht Abenteuerurlaub. Heute ist erster Absprung im Rahmen der Fallschirmausbildung.
»Und was soll ich tun, wenn der Fallschirm nicht aufgeht?«, fragt er den Mann in der Gerätekammer. »Kein Problem«, sagt der. »Dann können Sie den Schirm bei mir ohne Weiteres gegen einen neuen umtauschen.«

*

Der Musiklehrer spielt der Klasse etwas vor, eine Sonate, eine Etüde oder so etwas Ähnliches.
Er möchte es aber ganz genau wissen und fragt den Alex: »Kannst du mir sagen, was ich da gespielt habe?«
»Klar, kann ich«, sagt Alex. »Klavier!«

*

Bei größter Hitze schleppen sie sich durch den Zoo.
Am Giraffengehege bleibt Karlchen fasziniert stehen und beginnt zu philosophieren:
»Jetzt so einen langen Hals haben wie diese Giraffe und dann da drinnen eine kühle Limo ganz schön langsam runterrinnen lassen ... das wär's!«

Kommt Billy Ben, der Farmer, zum Zahnarzt.
»Doc«, sagt er, »reiß mir einen Zahn raus.«
»Lass sehen«, sagt der Doc und stochert in Billys Zähnen herum. Dann meint er:
»Du, es ist nichts zu machen. Dein Gebiss ist so o. k., dass ein Pferd darauf stolz wäre.«
»Egal«, sagt Billy, »du reißt mir einen Zahn raus, sonst mach ich hier alles zu Kleinholz!«
»Wenn du meinst«, sagt der Doc und reißt Billy einen Backenzahn raus.
Als alles vorbei ist, sagt Billy:
»So, das wär's. Und glaub nur nicht, dass du jetzt auch nur einen Cent von mir kriegst. Du schuldest mir nämlich vom letzten Jahr noch einen Sack Mais. Und jetzt sind wir quitt!«

*

»Du, sag mal«, wird unser Trainer gefragt, »woher kommt es, dass ihr bei jedem Spiel mindestens einen Elfmeter zugesprochen bekommt?«
»Mir ist das auch schleierhaft«, sagt unser Trainer. »Und dabei wette ich sogar vor jedem Spiel mit dem Schiedsrichter um fünfhundert Euro, dass wir diesmal keinen Elfmeter zugesprochen bekommen!«

*

»Also, Leute«, sagte der Fußballtrainer in der Halbzeit. »Ich bin nicht abergläubisch. Die anderen führen 13:0. Ich fürchte, das Ding ist gelaufen.«

»Herr Doktor, ich träume jede Nacht, ich sei ein Reh und fresse Gras.«
»Das ist doch nicht schlimm.«
»Doch. Jeden Morgen ist meine Matratze leer.«

*

Es regnet in Strömen. Ein Mann kommt ins Fundbüro.
»Ist hier ein Regenschirm abgegeben worden?«, fragt der Mann.
»Wie hat er ausgesehen?«
»Mir gleich«, sagt der Mann. »Ich bin nicht anspruchsvoll.«

*

Tobbi besucht Klausi Kleinhirn. Es ist neun Uhr abends. Klausi Kleinhirn öffnet die Tür und hat nichts an, nur eine Krawatte.
»Mensch, wieso hast du nichts an?«
»Weil um diese Zeit sowieso niemand mehr kommt.«
»Und warum die blöde Krawatte?«
»Falls doch noch einer kommt.«

*

»Herr Doktor«, sagt Frau Molle, »ich habe Ohrensausen, Krampfadern, Stiche im Rücken, Ischias, Kopfweh, Magendrücken und Herzklopfen. Jetzt sagen Sie mir bloß, was mir fehlt.«
»Ihnen fehlt gar nichts«, sagt der Doktor. »Sie haben ja schon alles!«

»Mann, biste verrückt!«, schreit Jimmi Jack. »Du kannst doch nicht die Petroleumkanne auf den brennenden Ofen stellen!«
Da meint Cowboy Joe: »Du immer mit deinem blödsinnigen Aberglauben!«

*

Das Passagierflugzeug ist auch nicht mehr das neueste. Trotzdem ist es voll besetzt, und die Leute warten, dass endlich geflogen wird.
Aber das geschieht nicht. Der Flugkapitän tobt vorne rum. Er will erst fliegen, wenn der Motor ausgetauscht wird. Er ist doch nicht lebensmüde, sagt er.
Nach langer Zeit kommt eine Stewardess herein. »So«, sagt sie, »jetzt können wir fliegen.«
»Na endlich«, sagen die Passagiere. »Dann wurde also der Motor ausgetauscht?«
»Der Motor nicht«, sagt die Stewardess, »aber der Pilot.«

*

»Du hast drei große Äpfel und zwei kleine. Und die sollst du mit deinem Bruder teilen. Wie machst du das?«, fragt der Lehrer.
»Das kommt drauf an«, antwortet Irmi, »ob ich mit meinem großen oder mit meinem kleinen Bruder teilen soll.«

*

»Und wenn die Fahrradlampe nicht brennt«, sagt der Wachtmeister, »dann mußt du das Fahrrad schieben!«
»Hab ich schon«, sagt Peppo. »Dann brennt sie aber auch nicht!«

Der kleine Benni führt die noch kleinere Luise spazieren. Da sagt Luise: »Schau, Benni! Die Dame dort. Warum hat die so rot angemalte Zehen?«
»Damit ihr keiner drauftritt«, erklärt Benni.

*

Kommt Farmer Adam müde nach Hause und ruft in die Küche:
»Ich hab einen Wahnsinnsdurst!«
Ruft seine Frau zurück:
»Wasser ist da!«
Meint Adam:
»Hat hier jemand was von Waschen gesagt?«

*

»Papi, kannst du auch im Dunkeln schreiben?«, fragt Andi.
»Ja.«
»Zum Beispiel auch deinen Namen?«
»Aber klar!«
»Dann unterschreib doch mal im Dunkeln mein Zeugnis!«

*

Sie sitzen am Familientisch.
Fragt einer den Horst:
»Rauchst du schon?«
»Wenn ich jetzt eine kriege, dann rauch ich eine«, sagt Horst.
»Und wenn er jetzt eine raucht, dann kriegt er eine«, ergänzt Vati.

Sie baden zum ersten Mal im Meer.
»Mensch«, sagt Andi. »Warum ist das Meerwasser bloß so salzig?«
»Das kommt von den vielen Salzheringen, die darin rumschwimmen«, meint Edgar.

*

Uli zeigt seine Urlaubsfotos. »Da waren wir im Hamburger Zoo«, berichtet er. »Ihr seht mich hier mit einem Kamel.« Seine Schwester Gabi ergänzt: »Der mit der Kappe, das ist Uli!«

*

Im Saloon hat es eine Messerstecherei gegeben. Es bleiben einige verletzte Cowboys und ein Messer zurück. Bob Allen aber erwischt man am nächsten Tag und führt ihn vor den Richter.
»Kennst du dieses Messer?«, fragt ihn der Richter. »Nein, nie gesehen, Euer Ehren«, sagt Bob Allen.
»Abführen!«, sagt der Richter.
Am anderen Tag lässt er Bob wieder kommen und zeigt ihm das Messer:
»Kennst du jetzt dieses Messer?«
»Ja, Euer Ehren.« »Na also. Und woher kennst du es?«
«Weil Sie es mir gestern gezeigt haben«, sagt Bob Allen.

*

Warum hat der Stephansdom in Wien farbige Ziegel?
Damit es nicht hineinregnen kann.

Maus und Elefant gehen über eine Brücke.
»Horch!«, sagt die Maus, »wie wir trampeln!«

*

Maus und Elefant gehen weiter.
Da sieht die Maus eine Mausefalle.
»Pass auf!«, schreit sie den Elefanten an. »Äußerste Lebensgefahr!«

*

Herr Mückenmeier möchte ein Fernglas kaufen und betritt ein Optikergeschäft. Und weil er immer das Modernste haben muss, fragt er:
»Haben Sie auch Farb-Ferngläser?«

*

»Hören Sie mal!«, sagt der Ober. »Sie können doch Ihr Besteck nicht am Tischtuch abwischen! Erstens sind unsere Bestecke tadellos sauber. Und zweitens machen Sie ja damit unser Tischtuch dreckig!«

*

»Heute«, sagt Moni, »werdet ihr bestimmt nicht übers Essen zu meckern haben!«
»Das werden wir ja sehen«, sagen die Brüder.
»Werdet ihr!«, sagt Moni. »Heute hab ich nämlich überhaupt nichts gekocht!«

*

»Hast du Geschwister?«, wird Luise gefragt.
»Nein«, sagt sie. »Ich bin alle Kinder, die wir haben.«

»Weißt du, wie man dein Gehirn auf die Größe einer Erbse bringen kann?«
»Nein.«
»Musst du aufblasen lassen!«

*

»Die Klasse ist in Mathematik so schlecht«, schimpft Studienrat Zeisig, »dass mindestens achtzig Prozent eine Sechs bekommen müssten!«
Tönt es aus den hinteren Bänken: »Hihi, so viele sind wir ja gar nicht!«

*

»Wie geht's euch in der Schule?«
»Gut eigentlich. Ulrike ist die Erste in Mathe. Lars ist der Erste im Turnen ...«
»Und du?«
»Ich bin der Erste, wenn's in die Pause geht!«

*

»Und du hast also diesen Herrn hier auf offener Straße überfallen!«, sagt Kommissar Knoblinski zu Revolver-Rudi.
»Nein, Herr Kommissar. Das Ganze ist ein bedauerlicher Irrtum«, sagt Revolver-Rudi.
»Dann erklär es mir!«
»Ja, also, das war so. Ich habe den Herrn nur gebeten, dass er mir etwas Geld leiht!«
»Gebeten. Aha! Und das mit vorgehaltenem Revolver!«
»Ja, auch das hat der Herr falsch verstanden. Ich wollte ihm den Revolver als Pfand geben!«

»Herr Ober! Wie hat denn der Küchenchef dieses Gulasch zubereitet?«
»Das, mein Herr, ist das Geheimnis unseres Küchenchefs.«
»Dann sagen Sie ihm, Geheimnisse sollte man für sich behalten!«

*

Herr und Frau Bemmelmann möchten allein in die Ferien. »So weit ist alles untergebracht«, sagt Frau Bemmelmann. »Ulla geht ins Landschulheim, den Klausi nimmt die Oma, der Kanarienvogel kommt zu den Nachbarn und den Hund geben wir der Frau Knirps …«
»Dann möchte ich wissen«, sagt Herr Bemmelmann, »warum wir gerade wegfahren, wenn unsere Wohnung endlich mal herrlich still und ruhig ist!«

*

Zwei nette kleine Igel finden eine Pfütze am Weg und schnuppern dran. Bier!
Da lassen sie sich ordentlich volllaufen und sind dann total stark.
»Jetzt warte«, sagt der eine. »Wenn jetzt so ein idiotischer Laster kommt, dann leg ich mich aber auf die Straße und schlitz ihm die Reifen auf.«

Witze, die man sich merken soll

Moritz hat sein kleines Schwesterchen zu sich aufs Fahrrad gesetzt und rast wie ein Wilder durch die Gegend. Da kommt die alte Dame, die sich immer einmischt, hält den Moritz auf und sagt: »Das kannst du doch nicht machen! Merkst du denn nicht, die Kleine brüllt ja wie am Spieß!«
»Drum hab ich sie ja mitgenommen«, sagt Moritz. »Meine Fahrradklingel ist nämlich kaputt, müssen Sie wissen!«

*

Roland kommt von der Schule heim und sagt zum Vater: »Hier ist mein Zeugnis. Und was ich noch sagen wollte: Das Fernsehen macht mir sowieso keinen Spaß mehr.«

*

Wolfi ist vom Fahrrad gestürzt und mit dem Kopf voraus auf den Boden gefallen.
Das sieht Tante Molli und fragt:
»Bist du vom Fahrrad gestürzt?«
»Ach was«, sagt Wolfi. »Ich bremse immer mit der Nase.«

*

»Im Zoo haben sie jetzt Halbaffen bekommen.«
»Das ist wieder typisch für unseren Stadtrat! Jetzt reicht das Geld nicht mal mehr für ganze Affen!«

*

»Was ist die Steigerung von leer?« »Lehrer!«

»Sagen Sie mal, Ihr Hund ist ja zum Fürchten. Wo haben Sie denn dieses schreckliche Vieh her?«
»Den Bello? Der ist mir in Afrika zugelaufen, in der Wüste. Ich habe ihm nur die Mähne etwas stutzen lassen.«

*

»Wenn du jetzt deine Mathe-Aufgaben ordentlich machst«, verspricht der Vater, »dann zahle ich dir den Eintritt für das Bayern-Spiel!«
»Und wenn das Stadion schon ausverkauft ist, dann habe ich die ganze Arbeit umsonst gemacht!«, mault Marco.

*

»Klausi hat mich im Bad vollgespritzt«, schimpft Susi.
»Dann spritz ihn halt auch voll«, ruft Mama.
»Geht doch nicht«, sagt Susi. »Ich bin ja ein Mädchen!«

*

Hubert will die Schule schwänzen. Aus diesem Grund hat er sich einen raffinierten Trick ausgedacht.
Er ruft im Sekretariat an und tönt mit tiefer Stimme: »Der Schüler Hubert kann heute wegen Krankheit die Schule nicht besuchen!«
»Wer ist denn am Apparat?«, fragt die Sekretärin.
»Mein Vater«, sagt Hubert.

»Ich möchte einen Wachhund«, sagt der Kunde. »Da habe ich das Beste vom Besten«, schwärmt der Tierhändler. »Goldmedaille bei der Hunde-Olympiade, zweimal Weltmeister im Gangsterfangen, Ehrenurkunde beim Bellwettbewerb der ARD. Und kostet nicht mehr als fünftausend Euro.«
»Hören Sie«, sagt der Kunde. »Wenn ich Ihnen fünftausend Euro für diesen Wachhund gebe, dann wird er nichts mehr zum Bewachen haben.«

*

»Wo verbringst du deine freien Abende?« »Ich habe keine freien Abende.«
»Toll. Arbeitest du so viel?«
»Nein. Ich gehe schon um sieben ins Bett.«

*

Sitzt Billy Cool in Charlys Kneipe und will Käse haben. Charly bringt ihm ein Stück Emmentaler.
Da wird Billy Cool stocksauer.
»Charly«, sagt er, »das kannst du mit mir nicht machen! Wenn du wieder einmal eine Schießerei in deiner Küche gehabt hast, dann wirf die durchlöcherten Sachen fort und versuch nicht, das Zeug an mich zu verkaufen!«

*

»Unsere Lehrerin kennt nicht einmal einen Elefanten«, sagt Irmi.
»Das gibt's doch nicht«, sagt Mutti.
»Doch. Ich hab heute einen Elefanten gezeichnet. Und dann hat die Lehrerin gefragt: Was soll jetzt das sein?«

Wie heißt der Chef von McDonald's in Istanbul?
– Izmir Übel.

*

»Zeit ist Geld«, sagt sich der Wirt und addiert auf der Rechnung das Datum mit.

*

»Chef, ich hab ganz schlimmes Kopfweh. Darf ich heute früher heim?«
»Ist gut«, sagt der Chef. »Geh nur und kurier dich ordentlich aus.«
Gleich darauf meldet sich ein anderer:
»Chef, meiner Oma geht es gar nicht gut. Darf ich ...«
»Aber klar«, sagt der Chef. »Kümmere dich nur um die Oma!«
»Chef, ich muss noch dringend zum Zahnarzt ...«, sagt ein dritter.
»Dann geh«, meint der Chef, »mit so was ist nicht zu spaßen.«
Und als die drei fort sind, räumt der Chef seinen Schreibtisch zusammen und sagt zum Lehrling:
»So, Karl. Hör auf. Jetzt gehen wir beide auch zum Länderspiel!«

*

Pepi hat einen Boxkampf ausgefochten.
»Haben sie daheim über dein blaues Auge kalte Umschläge gemacht?«, wird er später gefragt.
»Nee. Nur blöde Witze.«

»Du, Adam! Dir hat jemand eben dein Auto geklaut!«
Adam springt auf und rennt los wie wild.
Aber die anderen rufen:
»Warte! Du kannst den doch nicht zu Fuß erwischen!«
Sagt der Farmer Adam:
»Da kennt ihr meinen Wagen aber schlecht!«

*

Geht Herr Bemmelmann durch die Stadt und sieht, wie sich zwei so halbe Portionen unter einer Haustür mit einem riesigen Klavier abplagen.
Weil sich Herr Bemmelmann mächtig stark fühlt und außerdem Zeit hat, zieht er seine Jacke aus, krempelt die Ärmel hoch, sagt: »Das werden wir gleich haben!«, schickt die beiden halben Portionen an die eine Seite des Klaviers, geht selbst an die andere und ruft: »Hau ruck!« Und dann arbeiten sie eine halbe Stunde, bis ihnen allen der Schweiß in Strömen herunterrinnt. Da sagt Herr Bemmelmann:
»Ich glaube, wir kriegen das Klavier nie da hinein.«
»Wieso hinein?«, schreien die beiden andern. »Mensch! Hinaus soll es doch!«

*

Der Lehrer erklärt das alte Sprichwort: Eigenlob stinkt. Plötzlich entsteht auf der rechten Seite, dort, wo die alte Furzkanone Bobby sitzt, einige Unruhe. »Was ist da los?«, fragt der Lehrer.
»Bobby lobt sich«, ruft da einer.

Maus und Elefant stehen vor einer altersschwachen Brücke.
»Du«, sagt die Maus zum Elefanten. »Bleib mal stehen und laß mich vorausgehen.«
»Wieso?«, fragt der Elefant.
»Ich will testen, ob sie uns aushält.«

*

Das Schwein ist sehr traurig und beschwert sich beim Löwen, dem König der Tiere.
»Immer muss ich für unangenehme Sachen herhalten«, klagt das Schwein. »Ist irgendwo was schmutzig, dann heißt es: So eine Schweinerei. Macht einer Mist, heißt es: Du Schwein! Und geschieht irgendwo eine Gemeinheit, sagen sie: Das ist eine Schweinerei!«
Der Löwe denkt lange nach. Dann nickt er mit dem Kopf und sagt:
»Du hast recht. Das ist wirklich eine Schweinerei!«

*

Der Riesenzirkus ist da. Wahnsinnsreklame überall. Und ein gewaltiges Plakat: NOCH NIE DA GEWESEN! DER STÄRKSTE MANN DER WELT!
Also rennt alles hin. Das Programm ist aber mehr als mäßig. Und vom stärksten Mann der Welt ist überhaupt nicht mehr die Rede.
Darum knöpfen sie sich nachher den Zirkusdirektor vor.
»Einen müden Laden haben Sie! Und wo war der stärkste Mann der Welt?«
»Wie es auf dem Plakat steht«, sagt der Zirkusdirektor: »Der stärkste Mann der Welt! Noch nie da gewesen!«

»Herr Schaffner«, sagt der Mann, der in Stuttgart in den D-Zug steigt, »ich muß heute Nacht unbedingt in Frankfurt aussteigen. Wecken Sie mich. Und wenn ich nicht aufwachen will, dann machen Sie nicht lang rum, sondern setzen Sie mich einfach raus. Klar?«
»Klar«, sagt der Schaffner.
Als dann der Mann wach wird, ist er in Hamburg. Darum beginnt er zu schimpfen und zu brüllen, nennt den Schaffner einen Trottel und noch viel mehr.
»Dass du dir das gefallen lässt!«, sagt der Kollege zum Schaffner.
»Das ist noch gar nichts«, antwortet der Schaffner. »Da hättest du erst den hören sollen, den ich in Frankfurt an die frische Luft gesetzt hab!«

*

»Wie kann man Schlangen unterscheiden?«
»Ganz einfach: an den Augen. Sieht sie gut, ist es eine Seeschlange. Ist sie kurzsichtig, ist es eine Brillenschlange. Sieht sie überhaupt nicht, ist es eine Blindschleiche.«

*

»Sagen Sie mal, Herr Klingsohr, Sie sehen immer so ausgeruht aus. Wie machen Sie das nur? Haben Sie denn keinen Stress in Ihrer Firma?«
»Nie. Wenn was kommt, das mir auf den Geist geht, dann leite ich es einfach an Herrn Meier weiter.«
»An welchen Herrn Meier?«
»Weiß ich doch nicht. In jeder größeren Firma gibt es einen Herrn Meier.«

Eine Fliegenmami spaziert mit ihren Kindern über die Glatze von Onkel Theo.
»Schaut, Kinder«, erzählt die Fliegenmami, »vor langer, langer Zeit, als ich noch klein war wie ihr, da war hier nur ein schmaler Trampelpfad.«

*

Verspricht die Mückenmami ihren Kindern:
»Wenn ihr heute brav seid, dürft ihr morgen mit mir an den FKK-Strand!«

*

Der Bauer Knieschwamm hat den faulsten Hahn der Welt. Wenn morgens die anderen Hähne des Dorfes krähen, blickt er nur zur Kirchturmuhr und nickt mit dem Kopf.

*

Treffen sich zwei Heringe.
Sagt der eine: »Leihst du mir deinen Kamm?«
Sagt der andere: »Bin doch nicht blöd! Wo du so viele Schuppen hast!«

*

Die alte Dame, die sich immer einmischen muss, geht über einen Bauernhof. Da begegnet ihr ein Küken, das eine Zigarette qualmt.
»Wart! Das sag ich deiner Mutti!«, sagt die alte Dame.
»Ätsch!«, antwortet das Küken. »Ich stamm aus einem Brutkasten!«

Der Cowboy kauft ein Pferd. Das Pferd vom Pfarrer. »Pass auf«, sagt der Pfarrer. »Wenn du sagst: ›Gott sei Dank‹, dann rennt das Pferd im Galopp los. Wenn du sagst ›Amen‹, dann bleibt es stehen.«
Als er in die Nähe der großen Schlucht kommt, fällt ihm das verflixte Wort nicht ein, um das Pferd zum Stehen zu bringen. Er versucht es mit »Halleluja«, schreit »Hosianna«, nichts hilft. Da, im allerletzten Augenblick weiß er's wieder. »Amen«, schreit er. Und das Pferd bleibt einen Viertelmeter vor der Schlucht stehen.
»Gott sei Dank!«, ruft da der Cowboy erleichtert.

*

Kommt ein Cowboy in den Saloon, wirft sich auf einen Hocker und ruft: »Ein anständiges Steak, bevor es hier losgeht!«
Er kriegt das Steak, faltet es zusammen und lässt es mit wenigen Bissen verschwinden.
Dann ruft er: »Jetzt einen doppelten Whiskey pur, bevor es hier losgeht!«
Er kippt den Whiskey in einem Zug und ruft: »Noch einen Doppelten, aber besser eingeschenkt, bevor es hier losgeht!«
Der Keeper bringt das Gewünschte und fragt: »Kann ich kassieren?«
»Oje«, sagt der Cowboy. »Ich glaube, es geht schon los! Mir ist ja sooooo schlecht!«

*

Die Holzwurmmutti ermahnt ihre Kinder: »Kommt endlich rein! Das Essen wird morsch!«

Sagt eine Maus zur anderen: »Ich habe ein Polyamid-T-Shirt angeknabbert!«
»Geschieht dir recht. Wozu haben wir die Bio-Welle? Friss Wollsocken, das ist gesund!«

*

Treffen sich zwei Holzwürmer.
»Und wie geht's deinem Bruder?«, fragt der eine.
»Ach, ganz gut«, sagt der andere. »Er frisst sich so durch.«

*

Die kleine Schnecke darf zum ersten Mal allein fortgehen. Mutti ist sehr besorgt. »Pass aber auf, dass du in den Kurven nicht ins Schleudern kommst!«

*

»Warum kommst du so spät zur Ballettstunde!«, schimpfen die anderen Tiere den Tausendfüßler. »Weil irgendein Idiot draußen vor der Tür ein Plakat angebracht hat: ›Füße gründlich abputzen!‹«

*

Ein Gast regt sich auf:
»Herr Ober! Unglaublich, da ist eine Fliege in meinem Bier!«
»Ach seien Sie doch nicht so kleinlich«, sagt der Ober. »Was kann Ihnen so ein kleines Tierchen schon wegtrinken!«

»Herr Ober!«, ruft der Gast. »Haben Sie mich vergessen?« »Aber nein! Sie sind der gebackene Kalbskopf!«

*

Urlaubszeit. Die Hotels und Pensionen sind überfüllt bis unters Dach.
»Wir hätten höchstens noch eine Badewanne frei«, sagt der Portier.
»Na ja, fürs Erste ... Vielleicht reist mal jemand ab.«
»Kann sein. Nächste Woche wird vielleicht ein Billardtisch frei!«

*

»Ich gehe immer mit den Hühnern zu Bett«, erzählt unsere Tante Molli.
Da kichert Regine.
»Was gibt's da zu kichern?«, fragt Tante Molli.
»Weil ich mir das komisch vorstelle«, sagt Regine, »wenn du bei den Hühnern auf dem Stängelchen sitzt!«

*

»Die Wissenschaftler haben festgestellt, dass es unter fünfzigtausend Menschen einen gibt, der über zwei Meter lang ist.«
»Du, den kenn ich. Der sitzt im Kino immer vor mir!«

*

Gustav Großkopf kommt heim.
»Was gibt es Neues?«, fragt seine Frau.
» ... dass unser Zweitwagen ab heute unser Erstwagen ist«, erklärt er.

»Die Meisegeiers sind komische Leute«, sagt Horst.
»Wieso?«
»Die haben unserem Karli ein Messer gegeben und gesagt, er soll seine Trommel aufschlitzen und nachschauen, ob der Osterhase da drin vielleicht Eier versteckt hat!«

*

»Wie ist deine Telefonnummer?«, fragt Charlie ein Mädchen.
»Steht im Telefonbuch.«
»Und wie ist dein Name?«, fragt Charlie.
»Steht neben der Telefonnummer.«

*

Herr Bemmelmann muss mit seinem Auto zum TÜV.
»Ist Ihr Wagen schon einmal überholt worden«, wird er dort gefragt.
»Einmal?«, sagt Herr Bemmelmann. Jeden Tag mindestens hundertmal, und schon vom kleinsten Mofa!«

*

»Papi«, sagt Susi. »Heute hab ich deinen neuen Wagen ausprobiert. Soll ich dir erzählen, wie's war, oder willst du es lieber morgen in der Zeitung lesen?«

*

»Was möchtest du?«, fragt der Gemüsehändler.
»Bitte drei Kilo Kartoffeln«, sagt Susi. »Aber recht kleine, wenn's geht. Ich kann nämlich nicht schwer tragen!«

»Die meisten Menschen benutzen nur ein Drittel ihres Gehirns«, erklärt Uli.
»Und was machen sie dann mit dem anderen Drittel?«, fragt Horsti.

*

»Was schenkst du deiner Schwester zum Geburtstag?«
»Eine nagelneue Füllung für ihre Camping-Luftmatratze.«

*

»Du Papa, wenn ich groß bin, möchte ich Polarforscher werden.«
»Ist schon recht.«
»Du, Papa, wenn ich also Polarforscher werden soll, dann muss ich jetzt schon trainieren.«
»Ist mir auch recht.«
»Ja. Aber dann brauch ich jetzt zwei Euro für ein Erdbeereis. Ich muss mich nämlich allmählich an die Kälte gewöhnen.«

*

»Weißt du, wann die beste Zeit für die Birnenernte ist?«
»Klar doch. Wenn der alte Schropp drüben seinen Mittagsschlaf macht und sein Hund in der Küche beim Fressen ist.«

*

»Nennst du das, womit du hier durch die Gegend stinkst, ein Auto?«, fragt der Polizist.
»Nö. Sonst hätte ich schon längst den Führerschein gemacht!«

»Schau mal runter, was das für ein Krach war!« »Ein Auto wollte in die Seitenstraße einbiegen.« »Aber wir haben doch gar keine Seitenstraße!« »Eben.«

*

»Und wie war die Rockgruppe gestern?«
»Tote Hose! Erst stimmten sie eine Stunde lang und spielten nicht. Und als sie dann spielten, da stimmten sie nicht!«

*

»Wissen Sie ein Rätsel!«, fragt Graf Bobbi den Ober vom Cafe Central.
»Ja, selbstverständlich«, sagt der Ober. »Wer ist das: Es ist der Sohn meines Vaters und trotzdem nicht mein Bruder?« »Also, das weiß ich nicht«, sagt Graf Bobbi. »Das bin ich!«, sagt der Ober. »Gut, werde ich mir merken!«, erwidert Graf Bobbi.

*

»Wie viel ist die Hälfte von fünfzehn?«, fragt der Lehrer. »Also, sagen wir mal so, viel kann es nicht sein ...«, meint der Schüler.

*

»Unsere Katze geht jetzt in den Aerobic-Kurs.«
»Wieso das?«
»Weil sie dort einen ganz tollen Muskelkater kriegt!«

Edgar ruft in der Reparaturwerkstatt an.
»Leider kann ich die Reparatur erst in vier Wochen bezahlen. Macht das was?«
»Nein, gar nichts«, sagt Meister Kunze. »Heißt das, dass ich mein Moped abholen darf?« »Aber klar doch!« »Und wann?« »In vier Wochen!«

*

Susi liegt schon im Bett und nervt Mami, indem sie dauernd herumschreit.
Endlich wird es Mami zu dumm. »Wenn du jetzt noch einmal ›Mami‹ schreist, kannst du was erleben!«, sagt sie. Dann ist eine lange Pause. Doch plötzlich ruft Susi: »Frau Müller, ich habe Durst!«

*

Familie Bemmelmann besichtigt eine neue Wohnung.
»Also, die Mülldeponie dort im Süden stört mich schon sehr«, meint Herr Bemmelmann.
»Sagen Sie das nicht«, antwortet der Makler. »Da wissen Sie immer ganz genau, aus welcher Richtung der Wind kommt.«
»Na gut. Aber die Dynamitfabrik gleich nebenan!«
»Ach, da machen Sie sich mal keine Sorgen. Eines schönen Tages fliegt die sowieso in die Luft!«

»Was ist dein Vater?«
»Starfotograf!«
»Ist das nicht langweilig, immer dieselben Vögel zu fotografieren?«

»Ohne Englischkenntnisse kommt man heute einfach nicht mehr durch!«, posaunt Willi. »Softeis, Pommes frites, Pizza – alles ist Englisch!«
»Denkste!«, sagt seine Schwester. »Pommes frites ist Französisch, Pizza Italienisch!«
»Was?«, meint Willi und bestaunt sich selbst.
»Französisch und Italienisch kann ich auch?«

Witze, die man kennen muss

Monika tuschelt Karin etwas ins Ohr.
Dann sagt sie: »Also, das ist ein Geheimnis! Das darfst du niemandem weitersagen. Nur der Corinna, der Petra, der Vera, der Luise und vielleicht noch der Heidi. Aber sonst niemandem, hörst du!«

*

»Was gibt es heute?«, wird Moni gefragt.
»Sauerkraut«, antwortet sie.
»Aber Moni«, sagt Vati. »Du weißt doch, dass ich das letzte Mal Magenschmerzen von deinem Sauerkraut bekommen hab!«
»Das kann dir heute nicht mehr passieren«, sagt Moni.
»Heute hab ich den Kamillentee gleich mit reingekocht!«

*

Der Pepi kommt in die Lehre zu einem Konditor. Da soll er auf eine Geburtstagstorte »Herzlichen Glückwunsch« schreiben.
»Mensch, war das eine Sauerei«, erzählt er zu Hause.
»Bis ich die Torte in die Schreibmaschine gebracht habe!«

*

Sie fahren in die Ferien. Im Zug versucht Papa, endlich einmal fünf Minuten Ruhe zu haben. Doch schon wieder hat Klausi etwas zu fragen.
»Papa, was war das für eine Station, durch die wir eben gefahren sind?«
»Ist doch egal. Und halt jetzt endlich den Mund!«
»Ist gut. Es war ja nur, weil mir da deine Brieftasche aus dem Fenster gefallen ist.«

Der alte Herr Kanzleirat Rosenbart braucht jemanden, der ihm während des Urlaubs seine Wohnung versorgt.
»Wieso das? Der Herr Kanzleirat hat doch keinen Kanarienvogel, keine Zimmerpflanzen und kein Meerschweinchen?«
»Ja. Aber der Kalender muss jeden Tag abgerissen werden.«

*

»Sind Ihre Koffer schon von der Bahn gekommen?«, fragt der draußen.
»Nein. Aber das hat Zeit. Lassen Sie mich jetzt schlafen!«
Der draußen verschwindet. Aber um zwei Uhr nachts klopft es aufs Neue bei Herrn Bemmelmann.
»Was ist denn jetzt schon wieder?«
»Ich wollte Ihnen nur sagen, dass die Koffer jetzt da sind!« »Das ist mir momentan Wurst! Ich will meine Ruhe!« Und wieder verschwindet der draußen.
Bemmelmann versucht einzuschlafen.
Aber es dauert nicht lange, da klopft es das nächste Mal.
»Zum Donnerwetter! Was wollen Sie denn noch?«
»Ich möchte mich nur entschuldigen«, sagt der draußen.
»Das vorhin mit den Koffern war ein Irrtum. Es handelt sich gar nicht um Ihre Koffer!«

*

»Haste jetzt endlich das Auto in die Garage gebracht?«, brummt der Vater.
»Ja«, sagt unser großer Bruder. »Jedenfalls die wichtigsten Teile.«

Man kann alle Pilze essen. Einige allerdings nur einmal …

*

»Was kann man schon mit tausend Nullen anfangen?«
»Viel.«
»Was?«
»Fünfhundert Toilettenhäuschen beschriften.«

*

»Ist dieses Hemd bügelfrei?«, fragt der Kunde.
»Aber klar«, sagt die neue Verkäuferin. »Ich habe vor dem Einpacken alle Bügel herausgenommen.«

*

»Wenn ich im Kölner Dom ein Loch in Richtung Erdmittelpunkt und noch weiter graben würde, wo käme ich dann hin?« »In die Nervenklinik, Herr Lehrer!«

*

»Ich hab solche Gliederschmerzen«, jammert Tante Trude. »Ich kann meine Arme kaum über meinem Kopf zusammenschlagen. Und mit den Beinen geht's mir genauso.«

*

Vor wem muss man grundsätzlich den Hut abnehmen? Vor dem Friseur.

*

Aus welchen Gläsern kann man nicht trinken?
Aus Brillengläsern.

Jammert der Orchesterdirigent: »Wenn in unserer Stadt eine Hustenepidemie herrscht, dann geht kein Mensch zum Arzt. Dann kommen alle ins Konzert!«

*

»Ich kann nur kurz bleiben, weil ich morgen früh zum Zug muss. Haben Sie ein Zimmer für mich?«, fragt Herr Kleinhirn.
»Ja«, sagt der Hotelportier, »aber nur eins, in dem schon einer schläft. Es ist übrigens ein Herr aus Afrika.« »Macht nichts«, sagt Kleinhirn, »wenn ich nur ein wenig schlafen kann. Und wecken Sie mich bitte früh um fünf Uhr!«
Dann geht er zu Bett und ist ganz leise. Auch am nächsten Morgen macht er kein Licht, um nicht den Herrn aus Afrika zu wecken. Im Dunkel aber verwechselt er die Hautcreme mit der Schuhcremedose und schmiert sich das Gesicht ein. Auf dem Weg zum Bahnhof blickt er zufällig in einen Spiegel und erschrickt.
Jetzt hat der Idiot doch den Herrn aus Afrika geweckt!

*

Treffen sich zwei Urlauber in der Wüste Sahara. Fragt der eine: »Wie weit ist es noch bis zum Meer?« »Zweihundertfünfzig Kilometer«, sagt der andere. Darauf der erste: »Toller Strand, was?«

*

Anfrage an den Leserbriefkasten unseres HEIMATKURIERS: »Unser kleiner Liebling spuckt regelmäßig seinen Spinat aus. Was sollen wir tun?«
Antwort: »Schaffen Sie sich grüne Tapeten an.«

Und da war dann noch der Mann, der neulich im Autokino erfroren ist, weil er vier Tage lang auf den Film IM WINTER GESCHLOSSEN! gewartet hat.

*

»Aber Susi, warum hast du deinen Teddybären in die Tiefkühltruhe gelegt?«
»Ich möchte einen Eisbären aus ihm machen!«

*

»Wovon lebt dein Vater?« »Nur von Obst und Gemüse.«
»Vegetarier also?« »Gemüsehändler.«

*

Kalle und Dalle wandern durch die Wüste.
Da sehen sie, wie ein Nilpferd auf sie zurast. Zwar noch ein paar hundert Meter entfernt, aber genau auf sie zu!
»Ich zieh jetzt meine Turnschuhe an!«, ruft Kalle. »Lass das«, meint Dalle. »Du wirst niemals schneller als das Nilpferd sein!«
»Muss ich auch nicht«, sagt Kalle. »Es genügt, wenn ich schneller bin als du!«

*

Woran erkennt man einen freundlichen Motorradfahrer?
An den vielen Fliegen zwischen den Zähnen.

*

»Du bist aber klein!«, sagt der Elefant zur Maus.
»Weißt du, das kommt daher, ich war einmal sehr krank«, sagt die Maus.

»Also, das solltest du nicht machen!«, sagt jemand zu Farmer Adam. »Deine Frau liegt krank zu Hause und du sitzt hier in der Kneipe und kippst einen Whisky nach dem anderen!«
»Ich trinke ja dauernd auf ihre Gesundheit!«, verteidigt sich Farmer Adam.

*

In Little Kaff hat die Bank endlich eine tadellose Alarmanlage bekommen. Die Zeitung schreibt davon, und alle sind ganz stolz auf die Anlage, denn die Bankleute können jetzt durch einen Signalknopf, den man ganz unauffällig mit dem Fuß betätigt, die Polizei alarmieren.
Früher als erwartet passiert der erste Überfall. Drei maskierte Gangster stürzen in die Bank, verlangen alles Geld. Man gibt es ihnen bereitwillig, da man ja nur die Alarmanlage betätigen muss.
Leider geht alles schief. Denn als die Gangster schon längst verschwunden sind, ruft einer aus der Polizeistation an:
»He, ihr Armleuchter! Merkt ihr nicht, dass jemand von euch die ganze Zeit auf dem Alarmknopf steht?«

*

»[illegible] ich in New York war, da hätte ich so gern Hot Dogs gegessen«, erzählt Klausi Kleinkopf.
»Und warum hast du keine Hot Dogs gegessen?«, wird er gefragt.
»Weil ich nicht wusste, was Hot Dogs auf Englisch heißt«, sagt Klausi Kleinkopf.

»Übrigens, kennst du die Geschichte von Friedrich dem Großen und dem Eisenbahnwärter?«
»Nein.«
»Ich auch nicht. Denn damals gab es noch keine Eisenbahn.«

*

Es ist überhaupt eine Ferienreise, bei der alles schiefgeht. Und als sie ans Meer kommen, ist gerade Ebbe.
»Siehst du«, sagt Tine, »Kaum sind wir da, schon haut das Meer ab!«

*

Stehen drei Würstchenbuden auf unserem Marktplatz. Das sind zwei zu viel. Daher der Konkurrenzneid zwischen den Budenbesitzern.
Nagelt der eine ein großes Plakat über seine Bude: DIE BESTEN WÜRSTCHEN EUROPAS!
Das lässt dem zweiten keine Ruhe. Auch er nagelt ein Plakat hin: DIE BESTEN WÜRSTCHEN DER WELT! Da schreibt auch der dritte ein Plakat.
Darauf steht: DIE BESTEN WÜRSTCHEN AUF DEM MARKTPLATZ.

*

»Hast du dein Zeugnis schon bekommen?«
»Ja.«
»Und? Bist du versetzt worden?«
»Ich nicht. Aber meine Eltern.«
»Deine Eltern sind versetzt worden?«
»Ja. In Angst und Schrecken.«

»Du kommst eine Stunde zu spät zum Unterricht! Wo warst du?«
»Entschuldigen Sie, Herr Oberstudienrat, ich bin zu Hause die Treppe runtergefallen.«
»Du willst mir doch nicht weismachen, dass du dafür eine geschlagene Stunde gebraucht hast!«

*

Karlchen Klingsohr steht auf einer Rheinbrücke und wirft seinen Anzug in den Fluss.
Kommt sein Freund dazu und sagt: »Was machst du denn da für einen Blödsinn?«
»Keinen Blödsinn«, sagt Karlchen Klingsohr. »Das ist wegen meiner Gesundheit. Der Arzt hat gesagt: ›Bei Ihnen ist eine Grippe im Anzug!‹«

*

»Was macht Revolver-Rudi?«
»Der sitzt.«
»Warum?«
»Weil er gestanden hat.«

*

»Du warst heute sehr brav«, sagt Opa zu Tommi.
»Darum darfst du jetzt in die Büchse greifen und dir eine Handvoll Gummibärchen holen.«
»Du, Opa, greif doch bitte du für mich rein!«
»Ja, Kleiner, bist du so schüchtern?«
»Das nicht. Aber du hast größere Hände.«

Kommt einer spät in eine Buchhandlung.
»Geben Sie mir einen Krimi«, sagt er. »Ich bin heute in einer Mordsstimmung!«

*

Moni kocht noch immer.
»Sag mal«, meinen die anderen, »muss es immer Gulasch sein? Koch doch mal was anderes!«
»Ich koch ja immer was anderes«, sagt Moni, »aber immer wird Gulasch draus.«

*

»Welche Arten von Meisen gibt es?«, fragt die Lehrerin. Da schnellen die Finger hoch und jeder weiß was. »Blaumeisen - Haubenmeisen - Spechtmeisen - Kohlmeisen ...«
»Und du? Horsti?«, fragt die Lehrerin. »Ameisen«, meint Horsti.

*

Wolfi ist beim Schlittschuhlaufen in den Baggersee eingebrochen und versucht, sich aus dem Eisloch zu befreien. Kommt die Tante Molli hinzu.
»Bist du eingebrochen?«, ruft sie entsetzt.
»Ach was«, sagt Wolfi. »Der Winter hat mich beim Baden überrascht.«

*

»Putz dir jetzt die Zähne«, sagt Mama. »Du weißt, wir müssen zum Zahnarzt!«
Sagt Klausi: »Muss ich mir auch den Zahn noch putzen, der gleich gezogen wird?«

Man hat den Lehrling Xaver zu Frau Molle geschickt, weil er dort etwas reparieren soll.
Xaver drückt die Klingel und bekommt einen elektrischen Schlag, dass er auf den Rücken fällt.
Da öffnet Frau Molle die Tür und sagt: »Aha, ich sehe, du hast den Schaden schon entdeckt!«

*

Wolfi rast zum Bahnhof, um noch die S-Bahn zu erreichen. Aber wie er zum Hintereingang hereinkommt, fährt vorne der Zug hinaus.
Das sieht Tante Molli.
»Hast du den Zug verpasst?«, fragt sie.
»Ach was«, sagt Wolfi. »Ich hab ihn zur Halle hinausgescheucht!«

*

Treffen sich zwei alte Kumpel.
»Geht's dir gut?«, fragt der eine.
»Gut nicht, aber schon besser«, sagt der andere. »Ist doch gut, dass es dir schon besser geht!« »Ja. Aber besser wär's, wenn's mir gut ginge!«

*

Was kommt nach Fünf?«, fragt die Lehrerin in der ersten Klasse.
»Sechs!«, rufen alle aus vollen Kehlen.
»Brav. Und was kommt nach Sechs?«
»Sieben!«, brüllen sie.
»Und was kommt nach Acht?«
»Die Tagesschau!«

»Warum«, fragt die Lehrerin, »sind die Bienen wichtig für unsere Blumen?«
»Weil«, antwortet Steffi, »die Bienen um die Blumen rumfliegen, damit sie die Leute nicht abreißen!«

*

»Du hast schon einen komischen Hund. Der besteht doch nur aus Zotteln und Haaren. Bei dem weiß man ja gar nicht, wo vorn und hinten ist!«
»Doch, das weiß man schon. Da musst du bloß aufpassen, auf welcher Seite er bellt. Da ist vorn!«

*

Der Briefkastenonkel von der »Heimatpost« kriegt eine Anfrage:
»Mein Mann ist weggegangen, um eine Dose Bohnen zu holen. Seitdem ist er nicht mehr zurückgekommen. Das ist jetzt schon drei Jahre her. Was soll ich bloß tun!« Der Briefkastenonkel schreibt: »Sehen Sie doch einmal im Keller nach. Vielleicht haben Sie noch eine Dose Erbsen unten.«

*

Sagte der Bürgermeister von Pisa, als sie mit dem Turmbau begannen:
»Also los, Leute, wird schon schiefgehen!«

*

»Mensch, habt ihr dies Jahr ein Glück«, strahlt Jupp seine lieben Eltern an. »Fürs nächste Schuljahr braucht ihr keine neuen Bücher zu kaufen!«

»Wetten«, sagt Silvia zu ihrem Bruder Rainer, »ich schütte einen ganzen Eimer Wasser über deinen Kopf, und du wirst nicht nass!«
»Quatsch, das gibt's nicht.«
»Also, wetten wir um fünfzig Cent?« »Einverstanden«, sagt Rainer, »wir wetten um fünfzig Cent.«
Da holt Silvia einen Eimer Wasser und gießt ihn über Rainer.
Als der pitschnass dasteht, brüllt er: »Spinnst du! Schau mich an, ich bin total nass!« »Dann«, sagt Silvia und lacht, »hab ich die Wette verloren.«

*

»Du«, sagt Frau Kammermeier zu Herrn Kammermeier, »unser Christian ist heute wirklich krank.«
»Woran merkst du das?«
»Er jammert über Bauchweh, obwohl heute gar keine Schule ist.«

*

Sissi hat zum Geburtstag eine Kamera bekommen. Sie sagt zu ihrem Bruder:
»Möchtest du, dass ich dich fotografiere?« »Ja«, sagt der Bruder.
»Und? Wie willst du das Bild. Soll's schön sein oder soll's dir ähnlich sehen?«

*

»Wie war die Suppe?«, fragt die Kellnerin.
»O ja, das Salz schmeckte ausgezeichnet. Nur ein bisschen wenig Suppe war dran!«

»Du bist schon wieder während des Unterrichts eingeschlafen!«, schimpft der Lehrer. »Jetzt wird's mir wirklich zu dumm!«
»Herr Lehrer«, entschuldigt sich Horst, »ich habe aber von der Schule geträumt!«

*

»Herr Doktor, mir ist so schlecht!«, jammert Herr Mausmeier.
»Haben Sie was Falsches gegessen?«, fragt der Doktor.
»Vielleicht waren es die Austern?«, rätselt Herr Mausmeier.
»Und? Waren sie nicht mehr frisch?«
»Wie hätte ich das feststellen sollen?«
»Na, ganz einfach. Frische Austern lassen sich schwer öffnen.«
»Ja, soll das etwa heißen, dass man Austern vor dem Essen öffnen muss?«

*

Das Thema des Schulaufsatzes lautet: Das Wasser.
Klausi schreibt: Das Wasser ist ganz wichtig. Wenn es kein Wasser gäbe, könnten wir nicht schwimmen lernen. Und viele Menschen müssten ertrinken.

*

Der Lehrer fragt: »Nenne mir eine Eigenschaft des Wassers!«
Antwortet Edgar: »Wenn man sich drin wäscht, wird es schwarz.«

Herr Mückenmeier wird mit Blaulicht und Martinshorn in die Klinik gebracht. Dort stellt man eine Pilzvergiftung fest.
Als Herr Mückenmeier wieder ansprechbar ist, sagt der Chefarzt zu ihm:
»Merken Sie sich, Sie dürfen nur Pilze essen, die Sie kennen!«
»Das ist es ja«, sagt Herr Mückenmeier. »Ich kenne nur Fliegenpilze!«

*

Susi war fort. Als sie zurückkommt, fragt sie ihren Bruder:
»Ist jemand gekommen?«
»Wer?«
»Du.«
»Idiot! Ich meine, ob jemand hier war?« »Ja.«
»Wer?«
»Ich.«

*

»Jetzt kann ich sogar schon ›Danke‹ auf Englisch sagen«, strahlt Robert.
»Dann bin ich gespannt, wann du es endlich auch auf Deutsch sagen kannst«, meint Daddy.

Für langweilige Autofahrten

Der kleine Klausi kommt in die Drogerie.
»Was möchtest du?«
»Erstens für Papi ein Mittel, das Unkraut vertilgt.« »Hier ist es.«
»Und zweitens für mich ein Mittel, das Spinat ausrottet!«

*

»Du, sag mal, ist dein Bruder immer so still?«, fragt Uschi.
»Nein. Den solltest du mal essen hören!«, sagt Evi.

*

»Klausi«, sagt Mutti. »Weißt du noch, wo ich die Weihnachtsplätzchen hingetan habe?«
»Aber klar doch.«
»Aha. Dann muss ich sie woanders verstecken.«

*

»Papi, sind das Hyazinthen oder Alpenrosen?«
»Das sind Hyazinthen.«
»Und wie schreibt man ›Hyazinthen‹?«
»Wenn ich genau hinsehe: Es sind doch Alpenrosen«, sagt Papi.

*

Prügeln sich Udo und Pitt.
Kommt eine alte Dame dazu und sagt: »Wisst ihr nicht, dass man seine Feinde lieben soll?«
»Das ist ja nicht mein Feind«, sagt Pitt. »Das ist mein Bruder Udo!«

»Weißt du«, sagt Papi zu seiner Tochter Corinna, »wenn man's genau nimmt, bist du nur nett zu mir, wenn du Geld haben willst.«
»Und?«, meint Corinna. »Ist das nicht oft genug?«

*

»Hast du gestern mit Dolfi getanzt?«, fragt die Freundin.
»Ja!«
»Und wie findest du ihn?« »Er müsste ein prima Fußballspieler sein!«

*

»Wie nennt man Leute, die immerzu reden und reden, auch wenn ihnen keiner mehr zuhört?«
»Lehrer.«

*

»Kannst du mir rasch zehn Tiere nennen, die in Afrika vorkommen?«
»Klar!« »Also!«
»Sieben Löwen und drei Giraffen!«

*

»Du, Vati, das Barometer ist gefallen!« »Tief?«
»Ja. Bis zum Boden.«

*

»Du schaust mir jetzt schon fünf Stunden beim Angeln zu. Willst du nicht selber angeln?«
»Ich und angeln? Das wäre mir viel zu langweilig!«

Zu viert waren sie bei Tante Trude zu Besuch. Und zwar einige Tage lang. Jetzt packen sie ihre Sachen.
»Was, ihr wollt mich schon wieder verlassen«, sagt Tante Trude. »Wann geht denn euer lieber Zug?«

*

Die beiden Penner sitzen am Flussufer, schauen ins Wasser und denken nach.
»In Indien gibt es Elefanten«, sagt Schlaffi, »die sind so intelligent, dass sie für zehn arbeiten.«
»Und das nennst du intelligent?«, sagt Schlurfi.

*

»Komm her«, sagt Papa. »Was hast du heute in der Mathe-Arbeit gekriegt?«
»Das, was du dir schon lange im Lotto wünschst. Eine glatte Sechs!«

*

»So was Blödes«, sagt Carola. »Jetzt träum ich schon eine ganze Woche lang jede Nacht einen englischen Spielfilm!« »Wieso blöd? Das ist doch toll!«
»Eben nicht!«, sagt Carola. »Ich kann doch nicht Englisch!«

*

Frau Molle schenkt dem Penner Schlaffi ein Eurostück.
»Dass Sie mir aber ja keinen Schnaps dafür kaufen!«, sagt sie streng.
»Ich – Ihnen einen Schnaps kaufen«, antwortet Schlaffi.
»Wie käm ich dazu!«

»Dich kann man doch zu überhaupt nichts gebrauchen!«, schimpft Vati.
»Doch!«, wehrt sich Freddi. »Der Lehrer gebraucht mich dauernd als abschreckendes Beispiel, hat er gesagt!«

*

»Mutti«, sagt Dieter, »glaub bitte dem Mann, der uns da vorn entgegenkommt, nicht alles!«
»Aber warum sollte ich dem überhaupt etwas glauben?«, meint Mutti. »Der ist uns doch ganz fremd!«
»So fremd auch wieder nicht. Er ist mein Lehrer.«

*

»Ich wäre so gern ein Neandertaler«, sagt Fritz. »Warum das?«
»Dann müsste ich nicht so viel Geschichtszahlen lernen!«

*

»Könnten Sie mir bitte ein Stück Torte schenken?«, fragt der Penner Schlaffi Frau Bemmelmann.
»Na hören Sie mal! Sie sind ja ganz schön anspruchsvoll. Könnte es nicht auch ein Butterbrot sein?«
»Nein, heute nicht«, sagt Schlaffi. »Heute hab ich Geburtstag!«

*

»Was möchtet ihr werden?«
»Ich? Lehrer und Maurer. Im Sommer Lehrer wegen der Ferien, im Winter Maurer, weil die da nicht arbeiten.«
»Und ich werde Liftboy in einem Bungalow.«
»Und ich Testschläfer in einer Matratzenfabrik!«

Der alte Schlurfi kommt zum Schuster Hammerl.
»Kannste mir diese Stiefel noch mal richten?«, fragt Schlurfi.
»Zeig her«, meint der alte Hammerl. »Na ja, wir können's ja mal probieren. Die Schnürsenkel sind noch einigermaßen in Ordnung.«

*

Sie hatten einen Schulaufsatz zu schreiben. Thema: Wie stelle ich mir die ideale Schule vor?
Auf Robbis Blatt steht nur ein einziges Wort: »Geschlossen!«

*

»Die Engländer sind eine glückliche Nation«, sagt der Studienrat.
»Ja, vor allem müssen sie nicht Englisch lernen«, meint Isidor.

*

»Konnten Sie nicht früher kommen?«, schimpft Doktor Braun. »Meine Sprechstunde ist um 17 Uhr beendet!«
»Weiß ich, weiß ich, aber der blöde Köter hat nicht früher gebissen!«

*

»Du, Ulrike und ich, wir können uns am Telefon nie verstehen.«
»Versucht doch mal, abwechselnd zu sprechen«, rät der Bruder.

Kurt sitzt im Bus und hat die Augen geschlossen.
»Schläfst du?«, fragt einer.
»Nein. Aber ich kann nicht mit ansehen, wie hier so viele alte, müde Frauen stehen müssen!«

*

Keiner ist kleiner als Rainer. Wenn er durch den Stadtpark geht, kommen die Enten und füttern ihn.

*

Die Malteser liefern einen ziemlich beschädigten Typen in die Unfallklinik ein.
»Ha«, sagt der Oberarzt. »Das ist sicher der Boxer, der von einem Radfahrer überfahren wurde.«
»Nein«, sagten die Malteser. »Das ist der Radfahrer, von dem ein Boxer überfahren wurde!«

*

Der Kardinal von Köln hat einen unglaublich gescheiten Papagei. Immer wenn der Kardinal am Morgen das Zimmer betritt, sagt der Papagei: »Guten Morgen, Eminenz!«
Neulich betrat der Kardinal in seinem feierlichsten Ornat das Zimmer. Da hüpfte der Papagei ganz begeistert herum und brüllte: »Kölle alaaaf!«

*

»Da reden sie alle von der Sonne, wie wichtig sie ist«, sagt Kalle. »Alles nur Angabe. Die scheint doch nur am Tag, wo es sowieso hell ist. Aber der Mond! Der scheint auch, wenn es dunkel ist. Respekt!«

Mutti Feldmaus geht mit ihrem Kind spazieren. Da rauscht über sie eine Fledermaus dahin. »Schau, Mami«, flüstert die kleine Feldmaus. »Dort oben fliegt ein Engel!«

*

Sitzt ein Herr im Lokal, blickt auf seinen Teller, schüttelt fortwährend den Kopf und sagt immerzu:
»Traurig, traurig ...«
»Was ist traurig?«, fragt der Ober.
»Traurig ist, dass wegen so einem kleinen Stück Braten so ein altehrwürdiger Ochse sein Leben lassen musste!«

*

»So ein Glück«, sagt Susi, »seitdem unser Karl ein wenig Lesen gelernt hat, kann man ihn stundenlang beschäftigen.«
»Und wie?«
»Ganz einfach. Wir geben ihm ein Blatt Papier und schreiben auf jede Seite: Bitte umblättern!«

*

»Hat sich der Überfall genau so abgespielt, wie es der Staatsanwalt dargestellt hat?«, fragt der Richter.
»Nein, eigentlich nicht«, sagt Carlos. »Aber die Idee als solche war gar nicht schlecht.«

*

»Wurden Sie schon mal verurteilt?«, fragt der Richter.
»Ja. Aber ein paarmal wurde ich auch freigesprochen!«, sagt der Schmale Larry.

Schlappi beschließt, bei Herrn Zoff zu betteln, und läutet an seiner Wohnungstür.
»Wer ist draußen?«, ruft Herr Zoff.
»Machen Sie erst mal bitte schön auf«, sagt Schlappi.
»Worum handelt es sich?«
»Das lässt sich durch die Tür schlecht sagen. Nur so viel vielleicht: Es hat was mit Geld zu tun!«

*

»Und wie weit waren Sie vom Tatort entfernt?«, fragt der Richter.
»Elf Meter und dreiundvierzig Zentimeter, Euer Ehren«, antwortet der Zeuge.
»Woher wissen Sie das so genau?«
»Weil ich es sofort nachgemessen habe, Euer Ehren.«
»Aha. Und warum haben Sie es sofort nachgemessen?«
»Weil ich mir gesagt habe, vor Gericht wird dich sicher so ein Idiot danach fragen.«

*

Der Schwere Hugo und sein Freund, der Schmale Larry, sind in eine Apotheke eingebrochen.
»Ich glaube, wir machen das so«, sagt Hugo. »Wir teilen uns die Beute. Ich nehm die Kasse und du nimmst dir was gegen deinen verdammten Husten!«

*

Im Knast beschwert sich Revolver-Rudi beim Direktor.
»Meine Hose sitzt nicht richtig«, sagt er.
»Macht nichts«, tröstet ihn der Direktor. »Die Hose braucht gar nicht zu sitzen. Du sollst sitzen!«

Der Schwere Hugo sitzt im Knast. Fünf Jahre voraussichtlich. Aber endlich darf ihn Nelli, seine liebe Braut, besuchen.
Glücklich hält er ihr Händchen und sagt:
»Kommst du wenigstens mit dem Geld zurecht, Liebling?«
»O ja, fürs Erste schon. Da hab ich doch die fünftausend Euro Belohnung, die ich für deine Ergreifung bekommen habe!«

*

Treffen sich ein Elefant und eine Schlange. Sagt der Elefant:
»Weißt du, wer ich bin?«
»Ja«, sagt die Schlange, »der Elefant! Aber weißt du auch, wer ich bin?«
Überlegt der Elefant: »Keine Haare, keine Ohren – du könntest Nicki Lauda sein!«

*

Eugen Gustav Großkopf steht im Reisebüro. Er sucht einen Ferienort, wo noch nicht jeder war.
»Ach, wissen Sie«, sagt er zum Geschäftsstellenleiter, »haben Sie keinen anderen Globus da? Die Länder, die auf diesem drauf sind, langweilen mich allmählich!«

*

»Was schüttest du da in dein Aquarium?«
»Wasserflöhe.«
»Das ist aber gemein! Die armen Fische können sich doch nicht kratzen!«

Ein Missionar wird von einem Rudel Löwen angegriffen. Ehe er in Ohnmacht fällt, spricht er ein Stoßgebet: «Lieber Gott, mache diese Bestien zu frommen Christen!«
Als der Gottesmann sein Bewusstsein wiedererlangt, haben die Löwen einen Halbkreis um ihn gebildet und beten: »Komm, Herr Jesu, sei unser Gast und segne, was du uns bescheret hast.«

*

Ein Känguru hüpft durch die Steppe. Plötzlich bleibt es stehen und kratzt sich am Bauch. Dann greift es in den Beutel, holt das Baby raus und haut ihm tüchtig eins hinter die Ohren: »Wie oft hab ich dir schon gesagt, dass du im Bett keinen Zwieback essen sollst!«

*

Frau Krautsam kommt in die Großstadt und sieht, wie zwei Kanalarbeiter in den Schacht hinuntersteigen. »Ogottogott«, jammert Frau Krautsam. »Diese Wohnungsnot heutzutage!«

*

»Unsere Goldfische mögen nur Ameiseneier. Zuerst habe ich sie ihnen weich gekocht. Aber seit Neuestem sind sie so heikel geworden, dass ich sie ihnen immer als Rühreier braten muss«, jammert Isabella.

*

»Gib doch den Goldfischen frisches Wasser!«
»Wieso? Sie haben ja das alte noch nicht ausgetrunken.«

»Wo gehst du hin?«
»In den Wald, auf Hasenjagd!«
»Aber wieso im Matrosenanzug?«
»Das ist mein Trick. Die Hasen glauben dann, ich gehe zum Segeln. Und geben nicht acht!«

*

»[illegible]gt der kleine Klaus-Theodor zu seinem Papa.
»Jetzt weiß ich, warum heute bei dir kein Fisch anbeißt.«
»Warum?«
»Ich hab soeben einen Wurm probiert. Die schmecken ja scheußlich!«

*

»Was soll das? Du sitzt in der Badewanne und hast gar kein Wasser drin?«
»Ja, weißt du, der Arzt hat mir Luftbäder verordnet.«

*

»In diese Schlucht ist im vergangenen Jahr ein Reiseführer hinuntergefallen.«
»Das ist ja entsetzlich!«
»Na ja. So schlimm war's auch wieder nicht. Er war schon alt und außerdem haben auch viele Seiten gefehlt.«

*

»Sie sind hundert Kilometer in der Stunde gefahren!«, sagt der Polizist streng zur Oma.
»Das stimmt nicht, junger Mann«, wehrt sich die Oma.
»Ich bin erst vor zehn Minuten daheim weggefahren!«

Familie Brenneisen vergnügt sich am Badestrand. Da regt sich irgend so ein Grufti auf:
»Ist das Ihr Eugen, der meine Schuhe in den Sand eingräbt?«, fragt er Frau Brenneisen.
»Nein«, sagt sie. »Das ist der Karli. Der Eugen probiert gerade aus, ob Ihr Recorder auch unter Wasser spielt.«

*

Das Hotel ist das Letzte. Um 6 Uhr morgens klopft das Zimmermädchen an die Tür.
»Was soll das! Wir wollten doch gar nicht geweckt werden!«
»Tut mir leid«, flüstert das Zimmermädchen. »Aber das Hotel braucht jetzt die Bettlaken für die Frühstückstische!«

*

Bemmelmanns sind mit dem Auto unterwegs in den Urlaub. Herr Bemmelmann fährt. Frau Bemmelmann hat die Karte auf den Knien und gibt Anweisungen.
Auf einmal schreit sie:
»Oje! Jetzt hab ich den ganzen Tag die Karte verkehrtrum liegen gehabt!«
»Aha«, sagt Herr Bemmelmann. »Darum ist das da vorn auch nicht die Nordsee, sondern die Zugspitze!«

*

»Mein Mann«, jammert Frau Molle, »hat den ganzen Tag nichts als sein Auto im Kopf!«
»Das ist doch gut«, sagt Frau Mausmann, »dann spart er Parkplatz und Garage!«

Die neue Eisenbahnlinie kommt durch Kleinhammersbach. Aber die Strecke muss ausgerechnet da hin, wo jetzt die Scheune vom Bauern Knieschwamm steht. Eines Tages kommen viele Herren und messen alles aus. Und zum Bauern Knieschwamm sagen sie:
»Und dafür bekommen Sie dann eine gute Entschädigung.«
»Entschädigung hin, Entschädigung her«, sagt Bauer Knieschwamm. »Wenn ihr aber glaubt, dass ich jedes Mal rüberlauf und mein Scheunentor aufmach, wenn euer Zug durchwill, dann habt ihr euch getäuscht!«

*

»Warum hast du im Bus so glückselig gegrinst?«
»Weil der, der neben mir stand, aus Versehen seine Geldbörse in meine Tasche gesteckt hat!«

*

»Merkt man, dass ich mein Auto gebraucht gekauft habe?«, sagt Uli.
»Nein«, meint Uschi. »Es sieht aus wie selbst gebastelt.«

*

Sagt ein Pferdebesitzer zum anderen:
»Ich füttere mein Pferd vor dem Rennen immer mit einem Eimer extra feinem Hafer – und Sie?«
»Ich geb ihm immer einen Eimer Sekt!«
»Und dann läuft es besser?«
»Gewonnen hat es noch nie, aber es ist immer das lustigste.«

»Hast du schon mal was von Verkehrsregeln gehört?«, fragt der Polizist. Und sagt dann zu Hannes:
»Gib mir mal deinen Führerschein!«
Dann sieht er sich das Dokument an und will es einstecken.
»He!« sagt Hannes. »Das geht nicht. Den brauch ich wieder. Der gehört nämlich meinem Bruder!«

*

»Sagen Sie, habe ich Ihnen nicht strengste Bettruhe verordnet?«, sagt Doktor Wunderlich zu Karlchen Klingsohr. »Und nun rennen Sie auf der Straße herum. Ja, wollen Sie sich vielleicht eine Lungenentzündung holen!«
»Nein, das nicht«, sagt Karlchen. »Nur eine Flasche Bier und Zigaretten.«

*

»Wo wart ihr im Urlaub?«
»Du, das kann ich dir erst sagen, wenn ich meine Filme entwickelt hab!«

*

»Warum heißt der Wiedehopf eigentlich Wiedehopf?«
»Das ist doch klar. Er sieht aus wie ein Wiedehopf, hüpft rum wie ein Wiedehopf, hat einen Schopf wie ein Wiedehopf, frisst Würmer wie ein Wiedehopf. Warum sollte er da nicht Wiedehopf heißen?«

*

»Mein Wachhund ist sehr mutig«, sagt Felix. »Der traut sich nachts sogar allein im Garten zu schlafen!«

Wenn man irgendwo warten muss

Große Tombola beim Sportverein! Haupttreffer ist ein Fernsehgerät mit allen Schikanen!
Sagt Molle zu seiner Frau:
»Ich hab zwei Lose genommen!«
»Typisch!«, schimpft Frau Molle. »Was nimmst du zwei Lose, wenn du weißt, dass es nur einen Haupttreffer gibt!«

*

Hoch in der Luft begegnen sich zwei nette kleine Schneeflöckchen.
»Wo fliegst du hin?«, fragt eine die andere.
»Ich fliege nach Zermatt zum Wintersport. Und du?« »Ich fliege nach Norddeutschland. Verkehrschaos verursachen.«

*

Im Schwimmbad brüllt plötzlich einer aus dem Wasser heraus wild um Hilfe!
»He, warum brüllst du so?«, fragt Klaus Kleinhirn. »Ich hab keinen Grund!«, schreit der im Wasser.
»Na also. Wenn du keinen Grund hast, warum schreist du dann so?«, sagt Klaus Kleinhirn.

*

»Sind Sie wahnsinnig geworden?«, brüllt der Zoodirektor den Tierwärter an. »Sie haben heute Nacht den Löwenkäfig offen gelassen!«
»Jetzt regen Sie sich ab«, sagt der Tierwärter. »Wer wird denn schon einen von diesen wilden Löwen klauen?«

»Ich träume immer davon, dass ich im Monat zehntausend Euro verdiene, so wie mein Papi.«
»Mann, verdient dein Papi im Monat zehntausend Euro!«
»Nein. Er träumt davon!«

*

»Wer fliegt schneller, die Maikäfer oder der Intercity?«
»Die Maikäfer, denn der Intercity kann überhaupt nicht fliegen!«

*

Kommt der Holzwurm in die Konditorei und schimpft:
»Ihren Schwindelbetrieb kann man vergessen! Von wegen Baumkuchen!«

*

Sitzen zwei Affen im Kino. Der Film ist in Ordnung und alles wäre paletti. Aber da kommt ein Nashorn und setzt sich genau vor die Affen.
»He, du«, sagen die Affen und tippen dem Nashorn auf den Rücken. »Kannst du nicht etwas zur Seite rücken, damit wir auch was sehen?«
Dreht sich das Nashorn um und sagt:
»Wo gibt's denn so was! Affen im Kino!«

*

»Was krieg ich als Gage?«, fragt der Hungerkünstler den Zirkusdirektor.
»Sagen wir mal, hundert Euro die Woche.«
»Das ist zu wenig.«
»Gut. Dann kriegst du noch die Verpflegung kostenlos.«

»Haben Schlangen einen Schwanz?«
»Na klar. Genau genommen ist der Schwanz sogar das Einzige, was sie haben.«

*

In der Tierhandlung fragt ein Kunde die Verkäuferin:
»Und was kostet dieser hässliche Gorilla da hinten, der so grimmig dreinschaut?«
»Um Himmels willen, seien Sie still«, flüstert die Verkäuferin. »Das ist unser Chef!«

*

Susanne ist in den Ferien nach Wien gefahren. Dort geht sie in ein Schreibwarengeschäft.
»Haben Sie eine Ansichtskarte mit einer Wurst drauf?«
»Mit einer Wurst?«
»Ja, ich möchte sie meinem Fiffi schicken.«

*

Ein Holzwurm aus einem ganz vornehmen Haus kommt zum Arbeitsamt.
»Ich möchte mich umschulen lassen«, sagt der Holzwurm.
»Auf was?«
»Auf Kunststoff.«

*

Bauer Knieschwamm ist so geizig, dass er seinen Hühnern immer wieder Sägemehl ins Futter mischt. Und jetzt laufen auf seinem Hof einige Küken mit einem Holzbein herum!

»Ich lasse mich scheiden!«, sagt die Spatzenfrau. »Mein Mann hat eine Meise!«

*

Spaziert eine Ameise über eine Almwiese.
Kommt eine Kuh daher, hebt ein wenig den Schwanz – und patsch! ist die Ameise unterm Fladen.
Nach einer Stunde hat sie sich befreit und schimpft:
»So eine Gemeinheit! Genau aufs Auge!«

*

»Gibt's was Neues?«, fragen die Gänse.
»Allerdings«, sagt der Gänserich. »Und zwar eine gute und eine schlechte Nachricht. Welche wollt ihr zuerst hören?« »Die gute.« »Also, die gute Nachricht ist, dass die Bauern alle Füchse erschlagen haben!« »Toll! Und jetzt die schlechte?« »Dass sie zur Feier morgen ein großes Gänseessen veranstalten.«

*

Kommt einer in eine Tierhandlung und macht Krach:
»Sie, der Hund, den Sie mir verkauft haben, taugt nichts!« »Wieso. Der ist doch gut!«
»Eben nicht! Gestern Nacht hat er ununterbrochen so laut gebellt, dass ich gar nicht gehört habe, wie Einbrecher meinen Tresor ausgeräumt haben!«

*

Zwei Schnecken gehen über die Landstraße. Sagt die eine: »Schalt den Gang runter! Da vorn ist eine Radarfalle!«

Gehen zwei Schnecken über die Straße.
»Pass auf, da kommt ein Omnibus«, sagt die eine.
»Quatsch-quatsch«, sagt noch die andere. Es war ihr letztes Wort.

*

Zu welcher Gattung gehören die Brillenschlangen?
Zu den Kurzsichtigen.

*

»Halt dich gerade!«, sagt die Heringsmama zu ihrem Jungen. »Oder möchtest du später ein Rollmops werden!«

*

Schön mit dem Kopf nach unten, so wie sich das gehört, hängen die Fledermäuse in der Höhle.
Nur eine sitzt da, mit dem Kopf nach oben.
»Was hat denn die Uschi heute schon wieder für einen Fimmel?«, fragen sich die anderen Fledermäuse.
»Ach«, sagt ihre Freundin. »Die macht doch jetzt Yoga!«

*

»Ich hab eine gute Neuigkeit«, sagt die eine Stubenfliege zu der anderen.
»Welche?«
»Unsere Leute hier haben die Zeitung abbestellt, weil sie im Fernsehen alles viel früher und bunter bekommen!«
»Und was geht das uns an?«
»Kapierst du nicht? Ohne Zeitung können sie uns nicht erschlagen!«

Der Wellensittich ist fortgeflogen.
»Ich hätte es merken müssen!«, sagt Tina. »Immer wenn ich Erdkunde gelernt habe, hat er mir auf der Schulter gesessen und in den Atlas geguckt!«

*

Astrobbi, das Marsmännchen, geht auf der Erde spazieren und kommt an einer Tankstelle vorbei. Es sieht eine Zapfsäule und sagt:
»Jetzt nimm die Finger aus deinen Ohren, ich will dich was fragen!«

*

Sitzen zwei in einem Sportflugzeug. Sagt der eine:
»Jetzt hören Sie endlich auf mit Ihren verrückten Kunstflugübungen, wenn Sie jemand an Bord haben, der heute zum ersten Mal fliegt!«
Dreht sich der andere um und stottert: »Dann sind Sie gar nicht der Fluglehrer, der mir zeigen soll, wie man landet?«

*

Das Schiff erreicht die gefürchtete Korallen-Bay. Überall Haie, sagt man. Und unzählige Riffe, und zwar schön gemein zwanzig Zentimeter unter der Oberfläche. »Und Sie kennen sich da aus?«, fragt ein Passagier den Kapitän.
»Na klar«, sagt der. »In dieser Bucht kenne ich jedes Riff einzeln.«
Auf einmal macht es rrrumps ! – und sie sitzen fest.
»Sehen Sie«, sagt der Kapitän, »da haben wir schon eins.«

»Hast du gehört? In New York gibt es zehn Millionen Ratten!«
»Typisch Amis! Sie zählen die Ratten, statt sie zu vernichten!«

*

Astrobbi, das Marsmännchen, kommt in eine Bar und bestellt einen Whisky.
»Macht zehn Dollar«, sagt der Barkeeper. »Übrigens, Sie sind der erste Marsmensch, der zu uns kommt!«
»Und bei diesen Preisen«, sagt Astrobbi, »werde ich auch der letzte sein!«

*

Ein Hotel ganz weit draußen am Rand der Wildnis. Kommt ein einsamer Gast und fragt den Mann, der sich Direktor nennen lässt:
»Und das Zimmer ist ruhig?«
»Ja.«
»Ganz bestimmt?«
»Hab ich doch schon gesagt.«
»Und sind noch andere Gäste im Haus?« »Ja, aber die sind auch ruhig.«
»Und Wanzen? Haben Sie auch Wanzen?«
»Ja. Aber die sind ebenfalls ruhig.«

*

»Stürzen Wanderer hier öfters in diesen schauerlichen Abgrund?«, fragt die Dame den Sepp Mitterer.
»Nein, eigentlich nicht«, sagt der Sepp. »Die meisten stürzen nur einmal.«

Sie haben den berühmten Weltenbummler eingeladen. Endlich hat er mal Zeit, streckt seine braun gebrannten Beine unter den Tisch und beginnt zu erzählen:
»Ich habe drei Jahre bei Menschenfressern gelebt.«
»Oje«, meint die Gastgeberin. »Da werden Sie vielleicht von unserem bescheidenen Abendessen enttäuscht sein.«

*

»Worüber hat der Pastor gepredigt?«, fragt Mrs. Potter ihren Mann, den Farmer Potter. »Über die Sünde.«
»Aha. Und was hat er gesagt?«
»Na ja«, sagt Mr. Potter. »Wie soll ich das sagen. Er war dagegen.«

*

Dallas in Texas. Mister Woody kommt heim und sagt zu seiner Frau:
»Was soll ich dir sagen! Heute bin ich auf Öl gestoßen!«
Jauchzt die Frau: »Darling! Dann können wir uns endlich einen neuen Wagen leisten!«
»Das nicht«, sagt Mister Woody. »Wir behalten den alten. Da kommt nämlich das Öl raus!«

*

Sitzen zwei Holzfäller in einem stinkvornehmen Pariser Lokal.
»So eine Sauerei!«, schimpft der eine. »Mein Suppenteller ist ganz nass!«
Sagt der andere:
»Halt die Klappe! Das ist die Suppe!«

Im Busch. Ein Ferntourist beobachtet einen Schwarzen, der wie wild auf einer Trommel herumschlägt.
»Warum tust du das?«, fragt der Tourist.
»Wir haben kein Wasser mehr.«
»Aha. Und jetzt beschwörst du den Großen Geist?«
»Quatsch«, sagt der Schwarze. »Jetzt rufe ich den Installateur.«

*

»Mylord, in der Bibliothek befindet sich ein Einbrecher«, meldet der Butler Seiner Lordschaft.
»Gut, John«, sagen Seine Lordschaft, »laden Sie die Flinte, bügeln Sie meinen Jagdanzug auf und geben Sie dem Kerl inzwischen etwas zu lesen!«

*

»Und?«, sagt der Rancher O'Neal zum Mechaniker. »Was sagst du zu meinem Auto?«
»Also ehrlich«, meint der Mechaniker. »Wenn das ein Pferd wäre, dann müsste man es erschießen!«

*

»Ich hab nur ein Zimmer mit Meerblick frei«, sagt der Pensionswirt. »Das kostet aber fünfhundert Euro.« »Und wenn wir Ihnen ganz, ganz fest versprechen, dass wir nie aus dem Fenster gucken …?«, fragt Heike.

*

»Warum sind in den Bahnhofsgaststätten die Portionen so klein?«
»Damit die Leute nicht den Zug verpassen.«

»Ihr Schlafraum«, sagt der Mann, der sich Direktor nennen lässt. »Wenn Ihnen Beutelratten übers Gesicht laufen, brauchen Sie sich nichts dabei zu denken. Die haben keine Chance gegen die Klapperschlangen!«

*

»Seit fünf Jahren habe ich zwei Pferde im Stall«, sagt Isidor. »Die sind sich so ähnlich, dass ich sie noch nie habe auseinanderhalten können. Erst gestern hab ich gemerkt, dass der Schwanz bei dem braunen etwas länger ist als bei dem weißen.«

*

Meint der Farmer Adam:
»Mit dem Rauchen ist das so eine Sache. Raucht man seinen eigenen Tabak, schmeckt die Pfeife nicht, weil man dauernd an das schöne Geld denken muss. Raucht man aber den Tabak von einem andern, zieht die Pfeife nicht, weil sie zu fest gestopft ist!«

*

Nick Allen kommt zum Zahnarzt, lässt sich in den großen Stuhl fallen, holt seine Brieftasche raus und beginnt, das Geld zu zählen.
»Jetzt wart nur«, meint der Doc. »Du brauchst nicht im Voraus zu bezahlen!«
»Tu ich auch nicht«, sagt Nick. »Das ist nur wegen der Narkose. Da muss ich wissen, wie viel vorher in meiner Brieftasche war!«

In Charlys Kneipe hat es eine Rauferei gegeben. Und Rocky Ryder steht vor dem Sheriff.
»Du gibst also zu«, sagt der Sheriff, »dass du auf Billys Kopf einen Barhocker zertrümmert hast.«
»Geb ich zu. Und es tut mir auch leid.«
»Na gut. Und es tut dir also leid, dass du den Billy getroffen hast.«
»Hab ich nicht gesagt! Ich hab gesagt, es tut mir leid, dass ich den Barhocker zertrümmert hab!«, meint Rocky Ryder.

*

Marsmännchen Astrobbi ist in der Spielhalle. Da sieht es einen Automaten, der rattert, scheppert und eine Menge Münzen ausspuckt.
Meint das Marsmännchen: »Mit so einem Schnupfen sollten Sie aber lieber zu Hause im Bett bleiben, Herr Kollege!«

*

»Mein Ofen brennt nicht mehr«, sagt Farmer Woody zu Nick, seinem Freund. »Alles voller Ruß. Was soll ich bloß tun?«
»Ganz einfach«, sagt Nick, »da steckst du eine Dynamitpatrone in den Ofen, zündest sie an, und du wirst sehen, wie das den Ruß zum Schornstein hinausbläst!«
Farmer Woody dankt für den Rat und geht heim. Wenig später treffen sich die beiden wieder.
»Na, brennt dein Ofen jetzt?«, fragt Nick.
»Weiß nicht«, antwortet Woody. »Ich wohn nicht mehr da.«

Weit holt Kurti mit dem Tennisschläger aus. Der Ball fliegt über den Zaun, fliegt auf die Straße, trifft die Windschutzscheibe eines Personenwagens, der stoppt, hinter ihm ein Fernlaster stoppt auch, kommt ins Schleudern, rast in eine Tankstelle, die Tankstelle explodiert, Feuerwehr und alles, was infrage kommt ... Großalarm!
Und was sagt der Trainer zu Kurti?
»Das nächste Mal den Schläger gerade halten.«

*

Opa Brown hat Stechen, Ziehen und Reißen im rechten Knie. Er geht deshalb zum Doktor und lässt sich untersuchen.
»Das kommt vom Alter«, stellt der Doc fest.
»Unsinn!«, sagt Opa Brown. »Mein linkes Knie ist genauso alt wie das rechte.«

*

»Herr Ober«, sagt der Gast, »sind Sie ein Trinker?«
»Aber nein, mein Herr!«
»Sehr gut. Dann geh ich recht in der Annahme, dass Sie auch kein Trinkgeld nehmen?«

*

»Dass euer Verein den Horsti als Stürmer gekauft hat, verstehe ich nicht! Dieser Mensch ist als Fußballer doch schon längst tot. Der ist nur zu faul zum Umfallen, darum hat das noch keiner gemerkt!«
»Das musst du anders sehen. Den Horsti haben wir nur wegen seines breiten Brustkastens. Das gibt eine tolle Reklamefläche für die Trikotwerbung!«

»Schaff ich den Kerl noch?«, fragt der Boxer in der Pause.
»Na klar«, meint der Trainer. »Du haust so viele Schwinger in die Luft, dass der Kerl 'ne Lungenentzündung kriegt. In ein paar Tagen liegt er flach!«

*

»Hast du gehört«, sagt Mike, »gestern wollte mein Bruder im fünften Stock ein Fenster putzen und ist runtergefallen!« »Schrecklich!«
»Ihm ist aber gar nichts passiert!«
»So ein Glück! Wie das denn?«
»Er ist nach innen gefallen!«

*

Der Vereinsstaffellauf ist wieder eine Pleite gewesen.
»Und wenn du das nächste Mal nicht mehr Tempo bringst«, schimpft der Trainer den Erich, »dann mache ich dich zur Schnecke!«
»Gute Idee«, meint Steffi. »Als Schnecke wäre er bestimmt schneller.«

*

Der Box-Weltmeister im Mittelschwergewicht tritt jetzt auch noch als Schlagerstar auf.
»Du liebes bisschen, wer hat denn dem erzählt, dass er singen kann?«, sagt einer.
Meint der andere: »Du, ich glaube eher, da hat sich keiner getraut, dem zu erzählen, dass er es nicht kann!«

*

»Was hat eigentlich Mc Rider gesagt, dass du ihm gestern sein Auto versteckt hast und er zu Fuß heimgehen musste?«
»Eigentlich nicht viel. Und die beiden Vorderzähne hätte ich mir sowieso bald ziehen lassen müssen.«

*

Konrad hat in der Halbzeitpause eine zündende Idee.
»Trainer«, sagt er, »könnten Sie es nicht mal mit mir auf einer anderen Position versuchen?«
»Gar nicht so dumm«, meint der Trainer. »Wie wär's als Würstchenverkäufer in der Südkurve?«

*

Der Floh Balduin hat im Lotto einen Sechser.
»Toll, was machst du mit dem vielen Geld?«, fragt sein Freund.
»Da kauf ich mir erst mal einen Hund, und zwar ganz für mich allein«, sagt Balduin.

*

»Hast du gehört, Colosso Mamello, der Boxer, ist disqualifiziert worden. Und zwar auf Lebenszeit!«
»Ja, so was. Und warum?«
»Wegen seinem Aberglauben. Er hat Hufeisen als Maskottchen in den Boxhandschuhen versteckt!«

*

»Wenn ein Hund auf einem Segelboot herumläuft, was ist das dann für ein Hund?«
»Ein Yachthund.«

Für Notfälle

Der Mann steht da im blutbefleckten Hemd und wiegt ein langes, scharfes Messer in der Hand.
»Haben Sie denn kein Herz?«, fragt die alte Frau in flehendem Ton.
»Nein!«, sagt der Mann und wiegt immer noch das lange, scharfe Messer in seiner Hand.
»Na gut«, sagt die alte Frau, »dann geben Sie mir ein Pfund Leber. Aber frisch muss sie sein.«

*

Was tut man, wenn man sich im brasilianischen Urwald verirrt hat, die Nacht hereinbricht und die Lebensmittel zu Ende sind?
Man holt die letzte Zigarette aus der Tasche, zündet die an, macht einen Zug, setzt sich hinein und fährt nach Hause.

*

»Weißt du, wo mein Bleistift steckt?«, fragt der Lagerverwalter seinen Kumpel.
»Klar. Hinter deinem Ohr!«
»Mann! Mach's nicht so kompliziert! Hinter welchem? Hinterm rechten oder hinterm linken?«

*

»Du hast ein kleines Brüderchen bekommen?«
»Ja.«
»Und wem ähnelt es?«
»Also, die Nase hat es von Papa. Die Augen von Mama. Und die Stimme von einer Polizeisirene.«

»Herr Ober, das soll ein Schaumwein sein? Der schäumt ja gar nicht!«
»Na und? Haben Sie schon einmal eine Ochsenschwanzsuppe gesehen, die wedelt?«

*

»Sag mal, du hältst mich wohl für einen vollkommenen Idioten!«
»Ach, weißt du. Vollkommen ist niemand auf dieser Welt!«

*

»Wovon ernähren sich die großen Fische?«
»Von den kleinen Sardinen.«
»Und wie kriegen sie die Büchsen auf?«

*

»Warum läßt Herr Meisbräsl nachts immer sein Gartentor offen?«
»Damit seine Blumen frische Luft kriegen!«

*

»Alles kann man, wenn man will!«
»Dann versuch mal, die Zahnpasta vorne wieder in die Tube zurückzuschieben!«

*

»Sind das Blaubeeren?«
»Ja. Man kann auch Schwarzbeeren zu ihnen sagen.«
»Aha. Und warum sind die so rot?«
»Weil sie noch ganz grün sind!«

»Alles kann man, wenn man will!«
»Dann versuch mal, eine Drehtür zuzuschlagen, dass es knallt!«

*

Die berühmte Rechenaufgabe ist dran:
Wenn ein Maurer für einen Turm hundert Tage benötigt, wie lange brauchen zehn Maurer?
Fragt der Lehrer:
»Wer weiß noch so ein Beispiel?«
Meldet sich Uwe:
»Wenn ein Ei zehn Minuten zum Kochen braucht, wie lange brauchen zehn Eier?«
»Unsinn!«, schimpft der Lehrer. »Wer weiß ein anderes Beispiel?«
»Wenn hunderttausend Ägypter zum Bau einer Pyramide zehn Jahre brauchen, wie lange braucht ein Ägypter?«, sagt Karli.
»Noch dümmer!«, ruft der Lehrer. »Max, sag du was!«
»Wenn ein Ozeandampfer sechs Tage nach New York braucht, wie lange brauchen dann vier Dampfer?«, meint Max.
Da gibt der Lehrer auf.

*

»Du, Peppo, ich hab da einen Holzsplitter im Finger!«
»Wohl am Kopf gekratzt, was?«

*

Was muss man tun, ehe man aus einem Düsenjet steigt?
Einsteigen.

»Dreimal habe ich mir jetzt das Bein gebrochen«, jammert Frau Molle, »und immer an der gleichen Stelle!«
»Was Sie nicht sagen«, meint Frau Mausmeier. »Aber warum gehen Sie auch immer wieder hin?«

*

»Ich möchte ein Puzzle, aber ein schwieriges«, sagt Jutta im Spielwarenladen. Der Verkäufer schleppt Spiel um Spiel heran, aber immer wieder winkt Jutta geringschätzig ab: »Viel zu leicht!« Da wird es dem Verkäufer zu blöd.
»Weißt du, was«, sagt er. »Jetzt gehst du nebenan zum Bäcker Meier, kaufst dir eine Tüte Semmelbrösel und setzt dir die Semmel zusammen!«

*

Dann tritt der Fresskünstler auf. Er verspeist drei Schweinebraten, zwei Gänse, zehn Pfannkuchen, ein Spanferkel und zum Nachtisch einen Pudding, so groß wie ein Bierfass. Alexander will nach der Vorstellung den Fresskünstler interviewen für die Schülerzeitung. Er hat aber kein Glück.
»Das geht jetzt nicht«, sagt man ihm. »Der Herr Fresskünstler ist jetzt beim Abendessen.«

*

In der Nacht wütete ein schwerer Sturm über der Küste. Tags darauf treffen sich zwei Nachbarn. »Was ist?«, fragt der eine, »ist dein Dach auch beschädigt?«
»Weiß ich noch nicht«, sagt der andere. »Hab's noch nicht gefunden.«

»In Amerika gibt es Bäume, die sind fast zweitausend Jahre alt!«
»Das glaube ich dir nie und nimmer! Amerika wurde ja erst vor knapp fünfhundert Jahren entdeckt!«

*

»Schrecklich, wenn es keinen elektrischen Strom gäbe!«
»So schlimm wäre das auch wieder nicht. Dann müsste man eben mit Kerzenlicht fernsehen.«

*

»Ich will Astronaut werden. Dann fliege ich zur Sonne!«, verkündet Willi.
»Aber ist das nicht eine verdammt heiße Sache?«
»Ach wo, ich fliege nur bei Nacht!«

*

Der Reporter hat unseren Mannschaftskapitän vor dem Mikrofon:
»Was ist schöner für dich, so ein Sieg wie heute oder Weihnachten?«
»Weihnachten«, sagt der Mannschaftskapitän. »Das ist öfter!«

*

Was sind Mumien?
Eingemachte Ägypter.

*

Wie heißt das Land, das lange von Kalifen regiert wurde?
Kalifornien.

Juppi ist im Museum. Er sieht zu, wie einer Kopien von berühmten Gemälden anfertigt. Juppi fragt den Künstler: »Sagen Sie mal, werfen Sie die alten Bilder weg, wenn die neuen fertig sind?«

*

Konrad steht vor einem Automaten, wirft Geld hinein und zieht ein Schinkenbrötchen um das andere heraus. Da kommt Urs hinzu und sagt: »Hör doch endlich auf, die kannst du doch gar nicht alle essen!«
»Stör mich nicht!«, zischelt Konrad. »Wo ich doch gerade eine Glückssträhne hab.«

*

Emil fährt mit seinem Papagei nach Italien.
An der Grenze sagt man ihm, dass Papageien verzollt werden müssen.
»Was kostet das?«, fragt Emil.
»Kommt darauf an«, sagt der Beamte. »Lebende Papageien kosten hundert Euro. Ausgestopfte nur fünf.«
Da krächzt der Papagei mühsam mit trockener Stimme: »Mensch, Emil! Mach jetzt bloß keinen Scheiß!«

*

Das Schiff ist gesunken. Die Passagiere schwimmen im Meer.
Da sieht einer den Kapitän neben sich.
»Wie weit noch bis zum Land?«, jappst er.
»500 Meter«, schreit der Kapitän.
»500 Meter nach Ost oder West oder …?«
»Nach unten«, sagt der Kapitän.

Ein Pilot stirbt und kommt im Himmel an. Der heilige Petrus empfängt ihn mit großem Tamtam, geleitet ihn freundlichst zu einer echt tollen Schönwetterwolke und wünscht ihm einen angenehmen Aufenthalt hier oben. Dann kommt ein Pfarrer an, meldet sich zur Stelle, und der heilige Petrus sagt: »Setz dich auf die grauen Regenwolken und halt dich ruhig.«
Der Pfarrer ist sauer und meckert: »So was kapiere ich nicht! Mit diesem Flugkapitän macht ihr ein Gedöns und mich behandelt ihr wie den letzten Dreck. Wo ist denn der Unterschied zwischen mir und dem da?« »Und ob da ein Unterschied ist!«, sagt der heilige Petrus. »Wenn du gepredigt hast, haben alle geschlafen. Und wenn der geflogen ist, haben alle gebetet!«

*

»Sag mal, ist dir noch zu helfen! Du kannst doch keine Benzinflasche auf den glühenden Ofen stellen!«
»Ach du! Hör doch auf mit deinem ewigen Aberglauben!«

*

»Pass auf!«, ruft der Meister seinem Lehrling zu. »Nicht den Strom einschalten! Ich sitze noch in der Zentrifuiiiiiiiiii ...«

*

»Komm jetzt endlich runter zum Spielen!«, rufen die Freundinnen.
»Kann nicht«, ruft Irmi zurück. »Sobald ich weggehe, hört Mutti auf, meine Hausaufgaben zu machen!«

»Sag mal, warum hast du den Robbi so verdroschen?«
»Weil er mich voriges Jahr ein Rhinozeros genannt hat.«
»Und da verhaust du ihn erst jetzt?«
»Ja, ich war gestern im Zoo und habe zum ersten Mal ein Rhinozeros gesehen!«

*

Automaten werden immer klüger. Valentin kommt in den Bahnhof, sieht etwas, das Ähnlichkeit mit einer Waage hat, stellt sich drauf und wirft ein Geldstück hinein. Da ertönt eine Stimme:
»Du heißt Valentin, bist 14 Jahre alt, wiegst 48 Kilo. Dein Reiseziel ist Hamburg, Abfahrt 8 Uhr 10. Wir wünschen gute Reise.«
Valentin ist begeistert. Immer wieder wirft er Geld ein und kann sich nicht satthören.
Beim zehnten Mal ändert sich der Text ein wenig. Er lautet: »Du heißt Valentin, bist 14 Jahre alt, wiegst 48 Kilo. Dein Reiseziel ist Hamburg, Abfahrt 8 Uhr 10. Jetzt hast du Trottel den Zug verpasst!«

*

Kommt Seppi zu seinem Bruder Tobias.
»Du«, sagt er. »Deine Uhr ist tatsächlich wasserdicht. Heute Vormittag habe ich sie mit Wasser gefüllt und bis jetzt ist noch kein Tropfen ausgelaufen!«

*

»Warum nur hat der liebe Gott alle Vitamine in das Gemüse und in den Salat gesteckt – und nicht in Torten und Eis!«, jammert der dicke Franz.

»Papi«, sagt Horstchen, »ich habe soeben beschlossen, Polarforscher zu werden. Ist dir das recht?«
»Von mir aus«, brummt Vati und liest weiter.
»Du, da muss ich ab sofort fleißig trainieren«, redet Horstchen weiter.
»Ja, schon gut.«
»Dann gib mir schon mal fünf Euro. Ich muss nämlich täglich wahnsinnig viel Eis essen, um mich an die Kälte zu gewöhnen!«

*

»Mami, sag, ist Papi früher von Opa verhauen worden, als er noch klein war?«
»Ja.«
»Und ist auch Opa verhauen worden, als er klein war?«
»Ja.«
»Und hat der Uropa ganz, ganz früher auch Prügel gekriegt?«
»Ja.«
»Sag mal, wer hat eigentlich mit diesem Quatsch angefangen?«

*

Die Familie Taubmann lebt streng vegetarisch.
»Jetzt muss ich schnell nach Hause«, sagt Tobi Taubmann, »sonst wird mein Mittagessen welk!«

*

»Schmidt! Komm an die Tafel!«, ruft der Professor.
»Schmidt ist krank!«, schreit die Klasse.
»Ruhe! Das soll mir der Schmidt gefälligst selber sagen!«

In der Schule hat man die Jahreszeugnisse ausgeteilt. Frank kommt heim und sagt: »Also, Papi. Wenn man's genau nimmt, habe ich heute eine gute Nachricht für dich.« »Wieso?«
»Du brauchst für das kommende Schuljahr keine neuen Bücher zu kaufen.«

*

In der Physikstunde fragt der Studienrat: »Nennt mir einen durchsichtigen Körper!«
»Glas.«
»Gut, was noch?«
»Das Schlüsselloch.«

*

»Wenn du schon mein Taschengeld nicht erhöhen kannst, Papi«, sagt Sigrid, »dann gib mir das Gleiche wie bisher – aber dafür zweimal in der Woche. Ist das ein Vorschlag?«

*

»Wer hat die Fensterscheibe eingeworfen?«
»Ich«, sagt Leo. »Aber da ist ganz allein der Bernd schuld, weil er sich geduckt hat!«

*

»Rechnet die Aufgabe mehrmals durch, damit ihr eine Kontrolle habt. Und schreibt dann das Ergebnis hin!«, sagt der Mathelehrer.
»Sollen wir dann sämtliche Ergebnisse hinschreiben?«, meldet sich einer.

»Wie alt ist eigentlich euer Opa?«
»Keine Ahnung. Den haben wir schon ewig.«

*

Zeitungsmeldung im Wilden Westen:
»Der Farmer Collins hat mit einer Kerze nachgesehen, ob noch Benzin im Tank war. Es war noch Benzin vorhanden. Beerdigung Montag drei Uhr.«

*

Es klingelt.
»Papi, da ist ein Mann, der sammelt für das neue Hallenbad!«
»In Ordnung. Gib ihm fünf Eimer Wasser!«

*

Die Maßeinheiten werden durchgenommen:
»Es gibt Millimeter, Dezimeter, Zentimeter ... Was noch?«
»Elfmeter«, sagt Uwe.

*

Wochenlang erzählt der Pfarrer, wie der erste und der zweite Mensch erschaffen worden sind.
»Der traut sich doch bloß nicht zu erzählen, wie der dritte Mensch erschaffen wurde«, sagt Uli.

*

Die kleine Susi läuft im Kaufhaus zum Informationsstand und sagt: »Sie, wenn eine furchtbar aufgeregte Frau kommt und sagt, sie hat ihr Kind verloren, dann sagen Sie ihr, ich bin in der Spielwarenabteilung.«

Treffen sich zwei Zwerge.
»Was treibst du?«, fragt der eine. »Bin Clown im Zirkus. Und du?«
»Ich bin Testfahrer bei Matchbox!«

*

Vater Dösköpp hat beschlossen, dass alle Dösköpp-Kinder zum Friseur müssen.
»Weißt du, was«, sagt Heini Dösköpp zu seinem jüngeren Bruder, »du schlägst mir jetzt drei lange Nägel in den Kopf, dann ist dem blöden Friseur seine Haarschneidemaschine gleich im Eimer.«

*

Zwei Typen arbeiten auf der Landstraße. Der eine schaufelt ein Loch, der andere schaufelt es wieder zu. Dann gehen sie zehn Schritte weiter. Der eine schaufelt wieder ein Loch, der andere schaufelt es zu. Das tun sie den ganzen Nachmittag.
Kommt Heiner und fragt: »Was soll denn der Quatsch?«
»Ja, eigentlich sind wir drei«, sagt einer von den Typen. »Aber der dritte, der die Telegrafenstangen ins Loch stecken soll, ist heute krank.«

*

Baldur, mit dem man alles machen kann, kommt pitschnass nach Hause.
»Was habt ihr bloß wieder angestellt«, schimpft Mami.
»Wir haben ›Hund‹ gespielt.«
»Aber davon wird man doch nicht so nass!«
»Doch. Ich war der Laternenpfahl.«

»Meister, das ganze Bier läuft aus dem Fass!«, brüllt der Azubi.
»Jessas, Jessas! Seit wann denn das?«
»Seit ich die Preisschilder draufgenagelt hab!«

*

»So weit geht es mir gut«, sagt Frau Weckerle.
»Nur das Atmen macht mir Beschwerden.«
»Keine Angst«, erwidert Doktor Pfannenstiel. »Das kriegen wir auch noch weg.«

*

Herr Kleinlein möchte ins Kino. Er geht an die Kasse und kauft eine Karte. Nach einer Minute ist er schon wieder an der Kasse und kauft noch eine Karte. Und so geht das fünf Mal.
Beim fünften Mal aber fragt die Frau an der Kasse:
»Sagen Sie, wozu brauchen Sie so viele Karten?« »Weil da am Eingang so ein Idiot steht«, sagt Herr Kleinlein, »der zerreißt immer meine Karten!«

*

Herr Schmalstich kommt zu Professor Seelwurm.
»Herr Professor, ich hab ein Pferd im Kopf!«
»Kein Problem«, sagt Professor Seelwurm, »das operieren wir raus.«
Schmalstich wird also operiert. Und damit er auch sieht, dass die Operation gelungen ist, führen sie ihm nachher einen echten Schimmel vor.
Doch Schmalstich jault auf:
»Alles umsonst! Was mich stört, ist der braune Wallach!«

Was kann man nicht zum Frühstück essen?
Das Mittag- und das Abendessen.

*

»Endlich mal was Erfreuliches in der Zeitung«, sagt der Maurer und packt sein Schinkenbrot aus.

*

»Sind die Schuhe auch garantiert wasserdicht?«
»Aber ja. Die sind aus echtem Rindsleder. Und die Kühe sind ja auch wasserdicht. Sonst würde es in die Milch regnen!«

*

»Was? Kreislaufbeschwerden haben Sie?«, sagt der Feldwebel. »Das macht gar nichts. Bei uns wird nur geradeaus marschiert!«

*

»Und jetzt wäschst du den Fisch!«, sagt der Chefkoch zum Lehrling Hein.
»So ein Schwachsinn«, sagt Hein, »wo die Fische sowieso ihr ganzes Leben im Wasser gewesen sind!«

*

»Sie sind geheilt«, sagt Professor Seelwurm. »Ihre Minderwertigkeitskomplexe sind so ziemlich weg. Und hier ist die Rechnung für die Behandlung!«
»Was? Knete willst du?«, ruft der Patient und haut mit der Faust auf den Behandlungstisch. »Du hast einen Schaltfehler, alter Grufti. Vergiss es!«

»Jetzt habt ihr gegen den FC Tiefenbach wieder 0:6 verloren. Genau wie im vergangenen Jahr!«
»Da siehst du's«, antwortet der Trainer. »Mehr ist bei denen nicht drin!«

*

Rob Bobbson, der große Schlagerstar, ist auch zur Party gekommen und redet, redet den ganzen Abend, redet – na, wovon schon – von Rob Bobbson, seinen Erfolgen von gestern, seinen Erfolgen von heute, morgen, übermorgen.
Aber dann bekommt er doch ein schlechtes Gewissen, und er sagt zu den anderen Gästen:
»Jetzt hab ich nur von mir geredet. Erzählen Sie doch auch etwas von sich. Wie hat Ihnen zum Beispiel mein neuester Schlager gefallen?«

*

Dösköpps spielen das Birnenspiel.
Alle Dösköpps klettern auf einen Baum. Nur einer bleibt unten.
Er ruft nach einer Weile: »Reif!«
Dann lassen sich alle anderen herunterfallen.

*

Zweitausendmeterlauf! Endspurt! Das Publikum rast!
»Du«, schreit Tobi. »Der mit der roten Krawatte gewinnt!«
»Das ist keine Krawatte«, sagt Karsten. »Das ist seine Zunge!«

Bubi Dösköpp steht im Wohnzimmer und hat eine Gießkanne in der Hand.
»Was machst du da?«, fragt Heini Dösköpp.
»Ich gieße Blumen, das siehst du doch!«
»Mann, dir ist nicht zu helfen! Hast du noch nicht gemerkt, dass das künstliche Blumen sind?«
»Ich hab ja auch kein Wasser in der Kanne!«

Bei schlechter Laune

Doktor Balduin untersucht Herrn Kleinlein.
»Ja, Mann, Sie haben ja einen Reisewecker im Bauch!«, sagt der Doktor.
»Den hab ich verschluckt, als ich noch ein kleines Kind war.«
»Ja, du lieber Gott! Haben Sie da nie Schwierigkeiten gehabt?«
»Eigentlich nicht. Nur manchmal beim Aufziehen.«

*

Frau Weckerle macht Terror beim Gemüsehändler Knolle. »Vier Kilo Trauben habe ich gestern bestellt. Vier Kilo haben Sie mir auch berechnet. Aber geliefert haben Sie nur zwei Kilo.« »Das geht schon in Ordnung«, sagt Herr Knolle. »Die Hälfte war schon faul. Die haben wir dann gleich für Sie weggeworfen.«

*

»Wie viel wiegst du?«, wird Hubertus gefragt.
»Zweiundvierzig Kilo mit Brille«, sagt Hubertus.
»Wieso mit Brille? Die ist doch hier nicht wichtig.«
»Doch, ohne Brille kann ich die Waage nicht ablesen.«

*

Moni steht vor dem Supermarkt am Rathausplatz und ist sauer auf ihren Freund Konrad.
»Jetzt warte ich schon seit fünf Uhr und er kommt nicht und kommt nicht. Der wird aber was erleben!«, schimpft sie.
»Und für wann habt ihr euch verabredet?«, wird sie gefragt. »Für drei Uhr.«

»Mensch, gestern war ich in einem Film ... einfach unvergesslich!«
»Und wie hieß er?«
»Das weiß ich nicht mehr!«

*

Die Dösköpps gehen spazieren und finden einen alten Fahrradlenker. Da marschiert der alte Dösköpp vorneweg, den Lenker in der Hand, die anderen hintendrein.
Als sie an eine Tankstelle kommen, sagt der Alte: »Super bleifrei, den Tank bitte vollmachen!« Da meint der Tankwart: »Bei euch tickt's wohl nicht richtig?«
»Siehst du«, sagt Mutter Dösköpp. »Ich hab's ja schon immer gesagt. Kaum hat man ein Auto, schon gehen die Reparaturen los!«

*

»Wie kann man an einem einzigen Tag so viel Scheiß bauen wie du!«
»Ich steh früh auf und geh spät zu Bett«, sagt Karli.

*

»Herr Ober! Jetzt nehmen Sie zuerst mal diese Blumen hier weg, ihre Farbe paßt nicht zum Tischtuch. Und dann bringen Sie mir rasch Mineralwasser, aber nicht mit zu viel Kohlensäure und auch nicht mit zu wenig ... Dann möchte ich Graubrot, nicht zu frisch, aber auch nicht von vorgestern. Dazu möchte ich ... sagen wir mal ... Rühreier.« »Sehr wohl, mein Herr. Und sollen die Rühreier links- oder rechtsherum gerührt sein?«

Sie kommen mit Lehmklumpen an ihren Tretern vom Spielplatz heim und stampfen so durch die Wohnung von vorne nach hinten und wieder nach vorne.
Klar, dass da Mama Psychoterror macht und total ausflippt. »Mami«, sagen sie, »du fährst ein falsches Programm. Mach es wie die Mamis im Werbefunk. Schmier irgend so einen Saft durch die Gegend. Und vor allem lächle. Und schon ist alles weg.«

*

»Wie kann man beweisen, dass die Erde rund ist?«
»Ganz einfach. Schau deine Absätze an. Die sind immer auf einer Seite schief getreten!«

*

»Sagen wir mal, eine gute Fee kommt zu dir, und du darfst einen Wunsch äußern. Was würdest du dir wünschen?«
»Dass ich zwanzig Wünsche frei kriege!«

*

»Glaubst du, dass die Sterne bewohnt sind?«
»Aber sicher. Sie sind doch die ganze Nacht beleuchtet!«

*

»Haben Sie gehört, Frau Mausmeier? Gestern ist der Dachdecker von einem Auto überfahren worden!«
»Schrecklich, schrecklich«, sagt Frau Mausmeier. »Nicht einmal auf dem Dach ist man mehr sicher!«

»Lars, du hast eine dumme Angewohnheit. Du wischst dir immer mit dem Handrücken den Mund ab!«, schimpft Tante Molli.
»Ja, weißt du, Tante, das mach ich deshalb, weil der Handrücken sauberer ist als die Innenseite!«

*

Mama ruft beim Metzger an.
»Ich habe ein Kilo Aufschnitt bestellt! Sie haben meinem Karli zweihundert Gramm zu wenig gegeben. Ich habe die Wurst genau nachgewogen!«
»Vielleicht hätten Sie auch Ihren Karli genau nachwiegen sollen«, meint Meister Speckhuber.

*

»Wenn ich in einer Hand fünf Äpfel habe und in der anderen Hand sieben, was habe ich dann?«, fragt der Lehrer. »Fürchterlich große Pranken«, antwortet der Schüler.

*

Es regnet wie aus Kübeln. Herr Mückenmeier steht an der Bushaltestelle.
Er hat einen zugeklappten Regenschirm unterm Arm.
»Aber Herr Mückenmeier, spannen Sie doch Ihren Regenschirm auf, Sie werden ja ganz nass!«, sagt Frau Mäusemeier.
»Das geht nicht«, meint Herr Mückenmeier. »Das ist ein Weihnachtsgeschenk von meiner Oma. Und die hat gesagt, ich darf es nicht vor Heiligabend öffnen!«

»Sie werden nächste Woche mit Blumen und Lobreden überschüttet«, sagt die Wahrsagerin zu Herrn Kienspan.
»Donnerwetter!«, antwortet Herr Kienspan. »Aber wie komme ich zu dieser Ehre?«
»Das gehört nun mal zu einer Beerdigung«, sagt die Wahrsagerin.

*

Ein Mann tritt an den Bankschalter.
»Ach bitte, könnten Sie mir einen Gefallen tun?«, sagt der Mann.
»Wenn's geht, gern«, antwortet der Bankangestellte.
»Dann geben Sie mir bitte für diesen Tausendeuroschein fünfzehn Hunderteuroscheine!«
»Sie meinen wohl: zehn Hunderteuroscheine«, sagt der Bankangestellte.
»Nein, dann wäre das ja kein Gefallen«, meint der Mann.

*

»Soll ich Ihrem Wagen neue Kerzen einsetzen?«, fragt der Mechaniker.
»Wieso?«, sagt die alte Dame. »Ist schon Weihnachten?«

*

»Herr Ober, die Suppe ist nicht mehr heiß! Gehen Sie in die Küche und holen Sie eine andere«, sagt der Gast.
»Aber mein Herr, Sie haben die Suppe ja noch gar nicht probiert!«
»Wenn die Suppe heiß wäre«, sagt der Gast, »dann hätten Sie nicht die ganze Zeit Ihren Daumen darin gehabt!«

»Sie, Herr! Sie sitzen schon seit zwei Stunden auf meinem Hut!«
»Nein, wie die Zeit vergeht!«

*

Sagt der Wirt zum Lehrling: »Pass auf, wenn du wieder die Speisekarte schreibst. Heute hast du ›Speinat‹ statt ›Spinat‹ geschrieben!«
»Weiß ich. Sie haben doch gesagt, ich soll Spinat mit Ei auf die Karte schreiben!«

*

»Du warst mit Tina im Kino. Wie war's? Habt ihr euch gut unterhalten?«
»Zuerst schon.«
»Und dann?«
»Dann haben die Leute hinter uns furchtbar geschimpft.«

*

»Chef«, sagt die Verkäuferin. »Da ist ein Kunde draußen, der will wissen, ob die Jeans, die er gerade anprobiert, weiter werden oder enger?«
Sagt der Chef: »Wieso? Passen sie genau? Sind sie zu weit? Sind sie zu eng? Also, was ist?«
»Sie sind etwas zu eng.«
»Na also. Dann sag, sie werden weiter!«

*

»Herr Ober, da ist ein Haar in der Suppe!«
»Das ist kein Haar, mein Herr, das ist das Würstchen!«

»Edwin, ich stelle fest, du hast deine Hausaufgabe nicht gemacht«, sagt der Lehrer.
»Sie haben gesagt, Herr Lehrer, wir sollen unser Zimmer beschreiben.«
»Ja und?«
»Und wie ich die erste Wand halb vollgeschrieben hatte, ist mein Papa reingekommen und hat mir eine geklebt!«

*

Bevor Heidi ihre Tante Trude besucht, schärft ihr Mama ein, nur ja recht höflich zu sein.
Darum sagt Heidi »Danke, nein«, als sie von der Tante gefragt wird, ob sie noch ein Stück Kuchen möchte. Da wundert sich die Tante:
»Ja, Kind, leidest du an Appetitlosigkeit?«
»Nein«, sagt Heidi. »An Höflichkeit.«

*

»Wo tut's denn weh?«, fragt der Doktor.
»Im Ohr«, sagt Kalupke.
Da nimmt ihm der Doktor den Wattepfropfen aus dem Ohr und sieht mit dem Spiegel hinein.
»Ich glaub nicht, dass Sie durchsehen können«, meint Kalupke. »Ich hab nämlich im anderen Ohr auch noch einen Pfropfen!«

*

»Was ist Mut?«, fragt der Lehrer.
»Wenn einer den Finger hebt, obwohl er nichts weiß«, antwortet der Schüler.

»Was ist eine Fabel?«, fragt der kleine Bruder.
»Eine Fabel ist, wenn sich zum Beispiel eine Gans und ein Esel, so wie wir zwei, miteinander unterhalten«, erklärt die große Schwester.

*

»Wer kann mir die Namen der drei Eisheiligen nennen?«, fragt der Religionslehrer.
»Langnese, Schöller und Dr. Oetker!«, antwortet Susi.

*

»Wenn neun Fliegen auf einem Tisch sitzen und du erschlägst drei, wie viele bleiben übrig?«
»Drei. Die anderen fliegen fort.«

*

Kalupke sitzt in der Badewanne und schimpft.
»So ein Mist! Fünfmal täglich muss ich diese Tropfen in lauwarmem Wasser einnehmen. Ich komm überhaupt nicht mehr zum Arbeiten!«

»Nachbars Bello hat mich in den Arm gebissen!« »Hast du was draufgetan?«
»Nein. Es hat ihm auch so geschmeckt.«

*

»Herr Apotheker, meine Katze ist krank«, sagt Uschi.
»Haben Sie vielleicht eine Medizin für sie?«
»Natürlich«, sagt der Apotheker, »ich habe sehr viel Medizin hier, die für die Katz ist.«

Fragt der Sommergast den Wirt vom Hotel Alpenblick: »Ich möchte morgen auf das Kraxlhorn steigen. Sagen Sie mir, welche Vorbereitungen sind da nötig?«
»Vor allem müssen Sie vorher die Hotelrechnung bezahlen«, sagt der Gastwirt.

*

»Was will Ihr Sohn einmal werden?«, fragt Frau Molle.
»Arzt will er werden«, sagt Frau Bemmelmeier.
»Und bereitet er sich schon tüchtig darauf vor?«
»O ja. Zurzeit sammelt er alte Illustrierte für sein Wartezimmer.«

*

»Sag mal, wo hast du denn gemerkt, dass du deinen Regenschirm verloren hast?«, fragt Frau Meierlein.
»Als es aufhörte zu regnen. Da wollte ich ihn zumachen und merkte, dass er nicht mehr da war«, antwortet Herr Meierlein.

*

Ruft der Tierstimmenimitator in den Zuschauerraum: »Tausend Euro demjenigen, der mir ein Tier nennt, das ich nicht nachahmen kann!«
»Machen Sie eine Ölsardine nach!«, ruft einer zurück.

*

»Bist du abergläubisch?«
»Toi, toi, toi«, sagt Tante Trude und klopft auf Holz, »bis jetzt eigentlich nicht.«

»Wer brüllt da so?«
»Das ist Papa.«
»Warum brüllt er so?«
»Er spricht mit Brüssel.«
»Und warum nimmt er nicht das Telefon?«

*

»Ich würde dich ja gern zum Essen einladen«, sagt Oma. »Aber dann wären wir dreizehn bei Tisch. Und du weißt, ich bin abergläubisch.«
»Du, das macht nichts«, antwortet Andy. »Ich verspreche dir, dass ich für zwei esse.«

*

Klausi Kleinhirn sitzt im Büro. Er hat das Telefon vor sich und wählt eine Nummer. Leider ist es die falsche. Ein unwirscher Typ meldet sich: »Ja, was ist?«
»O, Entschuldigung, ich glaube ich bin falsch verbunden«, sagt Klausi Kleinhirn.
Schon platzt dem Typ der Kragen: »Passen Sie besser auf, Sie Idiot, Sie blöder!«
Klausi schimpft zurück: »Selber Idiot und ein blöder Hammel dazu!«
»Na, hören Sie«, sagt da der Typ. »Wissen Sie überhaupt, mit wem Sie reden?«
»Natürlich nicht!«, sagt Klausi.
»Ich bin der Generaldirektor!«
Da bleibt Klausi eine Weile still. Endlich sagt er: »Und wissen Sie, mit wem Sie reden?« »Nein.«
»Gott sei Dank«, sagt Klausi und hängt ein.

Doktor Baldrian sitzt im Gasthaus und studiert die Speisekarte. Neben ihm steht der Ober und sagt:
»Ich habe Herz im Speckmantel, gedämpftes Hirn und saure Nieren …«
»Mann, dann sollten Sie so rasch wie möglich ins Krankenhaus!«

*

»Wenn ich etwas hasse, dann sind das Ja-Sager!«, erklärt der Chef. »Wenn ich ›Nein‹ sage, dann sagen alle Nein. Ist das jetzt klar!«

*

»Ein Bier!«, ruft ein Gast.
»Mir auch eins«, ruft der zweite.
Da ruft ein dritter: »Mir auch ein Bier! Aber in einem sauberen Glas!«
Nach einiger Zeit kommt der Ober und schaut prüfend herum.
»Für wen ist das Bier im sauberen Glas?«, fragt er.

*

»Martina ist ganz böse und auch dumm«, sagt Ute. »Dauernd lügt sie, die Hausaufgaben muss ihr die Mama machen, außerdem ist sie faul, nicht einmal ihre Schuhe putzt sie selbst …«
»Aber das kannst du doch gar nicht wissen!«, sagt Klaus.
»Weiß ich aber«, sagt Ute. »Ich bin doch ihre beste Freundin!«

»Wo bleibst du denn so lange?«, fragt der Vater.
»Ich bin in die Autowerkstatt gefahren«, sagt Sabine.
»Muss der Wagen schon wieder repariert werden?«
»Ja. Die Autowerkstatt auch.«

*

In einer Klinik schaut ein Patient zur Uhr und fragt seinen Nachbarn:
»Geht die richtig?«
»Natürlich nicht! Sonst wäre sie nicht hier!«

*

Die Untersuchung ist abgeschlossen.
»Also, das ist so«, sagt Doktor Baldrian zu Herrn Mausmeier. »Sie dürfen ab sofort nicht mehr rauchen, dürfen nur noch Wasser trinken, essen sollen Sie nur noch ganz wenig, am Wochenende müssen Sie schlafen, Urlaub ist gestrichen …«
»Und? Was ist dann?«, fragt Herr Mausmeier schreckensbleich.
»Dann werden Sie in der Lage sein, meine Rechnungen zu bezahlen«, antwortet Doktor Baldrian.

*

Herr Bemmelmeier kommt jammernd in die Polizeiwache. »Meine Frau ist weg!«
»Seit wann denn?«
»Seit wir gestern die Wohnung tapeziert haben.«
»Dann schauen Sie doch erst mal hinter den Tapeten nach«, meint der Wachtmeister.

»Mamilein«, sagt Artur. »Jetzt habe ich die Möhrchen achtzehnmal gekaut. Was muss ich denn jetzt machen?«

*

Claudia erzählt ihrer Freundin Tina:
»Gestern bin ich mit Markus ausgegangen und in der U-Bahn hat er viermal seinen Arm um mich gelegt!«
»Igitt«, meint Tina. »Hat der so lange Arme?«

*

Das große Popkonzert ist zu Ende. Jetzt ist Pressekonferenz. »Ich habe meine Stimme für zehn Millionen versichert!«, tönt der Popstar.
»Und?«, fragt ein Reporter. »Hat die Versicherung bezahlt?«

*

Herr Mausmeier sieht einen Typen mit einem Schmetterlingsnetz auf der Wiese herumrennen. »Was fangen Sie denn da?«, fragt Mausmeier.
»Schmetterlinge«, sagt der Typ.
»Mann, da müssen Sie aber mächtig herumrennen, bis Sie ein ordentliches Mittagessen zusammenhaben!«

*

»Wie heißen Sie?«
»Friedrich Schiller.«
»Sagen Sie mal, habe ich Ihren Namen nicht schon mal gehört?«
»Kann sein, ich war früher Torwart beim FC Unterdorf!«

»Sie sollten ein Mini-Super-Hörgerät tragen«, sagt Doktor Baldrian zu Herrn Kienspan. »Ich trage auch so was. Schauen Sie. Man sieht es kaum und hört ausgezeichnet damit!«
»Und ist es wirklich so gut?«
»Natürlich, einen Hut können Sie auch tragen!«
»Und was kostet so was?«
»Ach was«, sagt Doktor Baldrian. »Es rostet nie!«

*

»Herr Ober, servieren Sie auch Pflaumen?«
»Mein Herr, wir servieren grundsätzlich jedem Gast!«

*

»Ich hab mein Zimmer ganz nach meinem Kopf eingerichtet«, verkündet Sigrid stolz.
»Aha«, sagt Vera, »drum sieht es so leer aus.«

*

Burschi Dösköpp im Bus. Bei der ersten Kurve packt er das Ohr von Herrn Kienspan und hält sich daran fest.
»Was fällt Ihnen ein!«, sagt Herr Kienspan. »Lassen Sie so-fort mein Ohr los!«
»Wieso«, sagt Burschi, »steigen Sie schon aus?«

*

Der Lehrer sieht im Klassenzimmer einen Zigarettenstummel liegen.
»Wem gehört der?«, ruft er streng.
»Den können Sie gern fertig rauchen«, ruft Lukas. »Sie haben ihn zuerst gesehen!«

»Woher stammen Sie eigentlich?«, fragt Frau Mausmeier ihren Nachbarn.
»Ich stamme aus Thüringen«, sagt der. »Zur Schule bin ich aber in München gegangen.«
»Oje, oje«, sagt Frau Mausmeier. »Da hatten Sie aber einen sehr weiten Schulweg!«

*

»Ihre Gedichte sind so schlecht«, schreibt der Verleger dem Dichter, »dass wir sie erst umschreiben mussten, bevor wir sie in unseren Papierkorb werfen konnten!«

*

»Heiße Würstchen, heiße Würstchen«, schreit der Mann vor dem Fußballstadion.
Sagt ein anderer: »Angenehm, heiße Müller!«

*

»Schau, da steht eine Waage. Willst du dich nicht auch waagen?«
»Das heißt nicht waagen, das heißt wiegen!«
»Ich hab mich auch schon gewiegt.«
»Das heißt gewogen!«
»Also gut. Stell dich endlich auf die Woge!«

*

Kommt unser Isidor zum Metzgermeister Wammerl.
»Haben Sie Eisbeine?«, fragt Isidor.
»Ja, habe ich«, sagt Metzgermeister Wammerl.
»Dann müssen Sie warme Wollsocken anziehen!«

In der Schule trainiert die Lehrerin mit den Kindern Grammatik.
»Ich komme nicht, du kommst nicht, er sie es kommt nicht, wir kommen nicht, ihr kommt nicht, sie kommen nicht ... Lukas, sag das mal nach!«
Lukas steht auf und sagt: »Kein Schwein kommt!«

*

Vor dem Supermarkt steht ein Schild: ACHTUNG VOR TASCHENDIEBEN!
»Also, wissen Sie«, sagt Frau Mausmeier zu Frau Molle. »Vor solchen Leuten kann ich keine Achtung haben!«

*

Lehrer Meierhuber nimmt das Walross durch. Aber die in den hinteren Bänken passen wieder einmal nicht auf. Da schimpft Lehrer Meierhuber:
»Setzt euch endlich gerade hin und schaut mich an! Sonst werdet ihr euch nie ein Walross vorstellen können!«

*

»Welchen Satz hört man in der Schule am häufigsten?«
»Weiß ich nicht.«
»Richtig!«

*

»Das hier ist eine sehr wertvolle Urne«, sagt der Schlossführer. »Darin ist die Asche Kaiser Ottokars des Kahlköpfigen aufbewahrt.«, fragt Lukas:
»Gab es denn damals schon Tabak?«

»Wie heißt du?«, fragt der Wachtmeister den Verkehrssünder.
»Franz Beckenbauer«, sagt der Verkehrssünder.
»Verarsch mich nicht!«, droht der Wachtmeister. »Da versteh ich keinen Spaß! Also los, sag deinen richtigen Namen!«
»Schon gut«, sagt der Verkehrssünder, »Johann Wolfgang Goethe.«
»Na also, warum nicht gleich so. Mich kannst du nicht hereinlegen!«

*

Die Spatzen freuen sich.
»Jetzt kommt bald Ostern. Dann versteckt der Gärtner wieder Bohnenkörner in den Beeten und wir dürfen sie suchen!«

*

Ein Heringsschwarm bewegt sich friedlich durch den Ozean. Da kommt ein großes U-Boot und die kleinen Heringe fürchten sich.
»Da müsst Ihr keine Angst haben«, sagen die Heringsmamis. »Das sind nur Menschen in Konservendosen!«

*

»Für so ein Zeugnis müsste es eigentlich eine gewaltige Tracht Prügel geben!«, schimpft Papa.
»Gute Idee«, meint Dieter. »Ich weiß sogar, wo der Lehrer wohnt!«

»Ich wollt, ich wär ein Hund«, sagt Papa. »Dann würden andere Leute für mich die Steuern zahlen!«

*

»Daddy, hör mal, ich hab doch nächste Woche Geburtstag«, sagte Lukas, »da möchtest du mir bestimmt gern was schenken.«
»Will ich«, sagt Daddy.
»O. k. Ich hab gedacht, wie wär's mit einem Schlagzeug?«
»Ein Schlagzeug? Du hast sie wohl nicht alle. Kommt nicht infrage. Das macht viel zu viel Krach!«
»Und wenn ich dir verspreche, dass ich nur übe, wenn du schläfst?«

*

»Gestern haben wir uns Tannhäuser angesehen.«
»Was Sie nicht sagen. Wollen Sie bauen?«

Für unterwegs

»Dass du dich auch anständig benimmst!«, hatte Mama gesagt, als Klaus zu Tante Trude in die Ferien aufbrach. Klaus reißt sich schwer am Riemen.
So sagt er zum Beispiel:
»Liebes Tantchen, würdest du bitte so nett sein und mir den Zucker herüberreichen. Dieser Scheißkaffee ist wieder verdammt bitter!«

*

Rolf kommt in eine Boutique.
»Ich möchte meiner Mutter eine Plätzchenbüchse schenken«, sagt er.
»Soll ein bestimmtes Bild drauf sein?«, fragt die Verkäuferin.
»Ist egal«, meint Rolf. »Nur der Deckel soll leise auf- und zugehen.«

*

Lukas schimpft: »Wenn ich jetzt noch die Milch holen muss, dann komm ich eine halbe Stunde zu spät zum Fußballmatch!«
»Na gut. Dann kannst du von mir aus eine halbe Stunde länger dort bleiben!«

*

»Und das ist unser Musikzimmer«, erklärt der Benni stolz.
»Wieso? Ich seh da nichts, kein Klavier, keine Geige, kein Garnichts!«
»Ja schon. Aber hier hört man das Radio vom Nachbarn am besten.«

»Mein großer Bruder hat jetzt einen Bart.«
»Und? Sieht er besser aus?«
»Ja! Man sieht fast nichts mehr von seinem Gesicht ...«

*

»Klaus, hast du deine Buchstabensuppe schon aufgegessen?«
»Noch nicht ganz. Bin erst beim R!«

*

Endlich hat Familie Dösköpp die neue Wohnung bekommen.
»Aber jetzt müssen wir unsere Nachbarn einladen«, meint Papa Dösköpp. »Und was sollen wir ihnen anbieten?«, fragt Mama.
»Am besten das Du.«

*

Im Zirkus tritt ein Feuerschlucker auf.
»Schade, dass er nicht vorige Woche da war, wo bei Stemmrichs die Scheune abgebrannt ist. Da hätte er sich mal so richtig satt essen können.«

*

Was bestellt der Mops, wenn er ins Gasthaus kommt?
Eine Portion Bellkartoffel.

*

Was kriegt man, wenn man einen Regenwurm mit einem Igel kreuzt?
Zehn Meter Stacheldraht.

In Großschnorrhausen haben sie jetzt eine neue Erfindung aufgestellt, den Schenkomaten. Das geht so: Man wirft ein Zweieurostück hinein. Erst ertönt ein leises Summen, dann sagt der Automat: »Vielen Dank!«

*

»Hier hast du einen Euro«, sagt Meister Stemmer zu Fridolin, seinem Lehrjungen. »Geh zum Metzger und hol mir eine Wurstsemmel.«
Dann gibt er Fridolin noch einen Euro und sagt: »Und du darfst dir auch eine kaufen.«
Nach kurzer Zeit kommt Fridolin zurück, an einer Wurstsemmel kauend, und gibt dem Meister einen Euro zurück.
»Der Metzger hat nur noch eine Wurstsemmel gehabt«, sagt er.

*

In einem Café spielen zwei Männer Schach. Sie spielen unermüdlich, stundenlang.
Ein dritter schaut ihnen zu, eisern, ebenfalls stundenlang.
Gegen Abend bekommen die zwei Schachspieler Streit, weil etwas bei einem Zug nicht klar ist.
Da wenden sie sich an den Zuschauer und fragen ihn um seine Meinung.
»Also, mich dürfen Sie da nicht fragen«, meint der Zuschauer, »ich kann überhaupt nicht Halma spielen.«

*

Und wenn man ein Ferkel mit einem Briefkasten kreuzt? Dann kriegt man ein Sparschwein.

»Wer ist der alte Herr dort drüben am Tisch? Der mit dem langen weißen Bart?«
»Das ist kein alter Herr mit einem langen weißen Bart, das ist unsere Tante. Sie verspeist gerade Spaghetti.«

*

Zwei Dösköppe beobachten einen Astronomen, wie er mit seinem Fernrohr die Sterne betrachtet.
Da geht eine Sternschnuppe nieder.
Sagt der eine Döskopp zum anderen:
»Schau, jetzt hat er einen getroffen!«

*

Sie sind beim Fotografen, denn Klausilein soll fotografiert werden, weil Oma Geburtstag hat.
»Jetzt pass gut auf«, sagt der Fotograf zu Klausilein, »schau mal schön in die kleine Linse. Gleich kommt ein liebes Vögelchen heraus.«
»Lassen Sie doch den Quatsch«, brummt Klausilein, »passen Sie lieber auf, dass Sie Blende, Zeit und Entfernung richtig eingestellt haben. Haben Sie vorher überhaupt die Farbtemperatur gemessen?«

*

Sie brüllen zu Baldaufs in den dritten Stock hinauf: »Frau Baldauf! Darf der Tommi runterkommen und mit uns spielen?«
»Nein. Heute bei dem scheußlichen Wetter nicht!«
»Frau Baldauf, darf wenigstens sein Fußball runterkommen?«

Karlchen Knieschlott kommt zur Stadtverwaltung. »Ich möchte die Hundesteuer bezahlen«, sagt er. »Aha. Auf welchen Namen bitte?«
»Struppi«, sagt Karlchen.

*

»Wir haben eine Kuckucksuhr. Der dazugehörige Kuckuck ist ein totaler Versager.«
»Wieso das denn?«
»Na ja, jede Viertelstunde kommt er aus seinem Kasten raus und fragt, wie spät es ist.«

*

Herr Knieschwamm, der Besitzer des Ex- und Importgeschäftes für gebrauchte Schuhe und Socken, hat stundenlang über seinen Geschäftsbüchern gesessen. Dann sagt er zu seinem Buchhalter: »So, jetzt haben wir einen Überschuss. Sie können wieder schwarze Zahlen ins Kontobuch eintragen.«
»Aber uns ist schon längst die schwarze Tinte ausgegangen«, sagt der Buchhalter.
»Mein Gott, dann kaufen Sie eben neue«, meint Herr Knieschwamm.
»Ja, aber dann schreiben wir wieder rote Zahlen«, entgegnet der Buchhalter traurig.

*

Schlurfi, der Penner, findet ein leeres Brillenetui und ist glücklich.
»Wenn ich jetzt noch schlecht sehen tät und noch eine Brille dazu finden tät«, sagt er, »dann wär das super.«

Doris spaziert auf der Landstraße.
Kommt so ein Lackaffe mit seinem neuen Schlitten daher und fragt:
»Na, Baby. Willst du mitfahren?«
Fragt Doris zurück: »Was is? Fahren Sie in Richtung Osten?«
»Aber klar doch!«
»Dann grüßen Sie die Chinesen schön von mir!«

*

Der Bildhauer meißelt einen Löwen und Hans-Karl-Eugen sieht ihm zu. Voller Bewunderung sagt er: »Ist das eigentlich schwierig, so einen Löwen zu meißeln?«
»I wo, überhaupt nicht«, sagt der Bildhauer. »Du nimmst einfach einen Meißel, stellst dich vor den Stein und haust alles weg, was nicht wie ein Löwe aussieht.«

*

Sie stehen vor einem Denkmal im Stadtpark.
»Was ist denn das für ein Geistesriese?«, fragt Alf.
»Das ist der Luther«, sagt Ulf.
»Aha. Und warum steht da neben dem Namen 14 83 - 15 46?«
»Das war seine Telefonnummer!.«

*

»Reitest du?«
»Ja.«
»Auch Turniere?«
»Nein, nur Pferde.«

Treffen sich zwei Herren auf der Straße.
Sagt der eine:
»Entschuldigen Sie eine Frage. Sind Sie vielleicht mit Herrn Otto Obermeier verwandt?«
Antwortet der andere:
»Ich bin Otto Obermeier.«
»Ach, darum diese verblüffende Ähnlichkeit!«

*

Hubi kommt zum Apotheker Gallenbrink. »Haben Sie Abitur?«, fragt Hubi.
»Na, das möchte ich meinen«, sagt Herr Gallenbrink.
»Und Sie waren auch auf der Uni?«
»Aber ja doch.«
»Aha. Und Sie haben auch Examen und so?«
»Na freilich. Aber was soll die Fragerei?«
»Ja, dann können Sie mir bestimmt einen Beutel Malzbonbon bringen«, sagt Hubi.

*

Herr Schmalfuß holt sich in der Apotheke ein Mittel gegen sein Sodbrennen.
»Soll ich Ihnen die Pillen einpacken?«, fragt der Apotheker.
»Was sonst?«, meint Herr Schmalfuß, »soll ich sie vielleicht heimrollen?«

*

Wie viel Leder braucht man für einen gut besohlten Schuh?
Keines mehr. Der Schuh ist bereits in Ordnung.

Welcher Vogel hat nur ein Bein?
Das halbe Grillhähnchen.

*

»Na, wie geht's Ihnen denn so?«, fragt eine Nachbarin die alte Frau Wammerl.
»Danke, es geht«, sagt Frau Wammerl. »Still ist's halt geworden bei mir daheim, seit der Hansl, mein Goldfisch, gestorben ist.«

*

Fräulein Brösel ist wie immer schrecklich zerstreut. Sie kommt in Opa Keckls Kramladen und sagt: »Geben Sie mir bitte ein ... ein Dings ... ein, ja, was wollte ich eigentlich? Ach, wissen Sie was, geben Sie mir einfach irgendwas Ähnliches.«

*

»Ich bin in den nächsten acht Wochen Strohwitwer«, klagt der Tausendfüßler. »Meine Frau ist in die Stadt, um Schuhe zu kaufen.«

*

Zwei Möpse stehen vor einem Metzgerladen. »Du, das riecht verdammt gut«, sagt der eine. »Da gehen wir einfach hinein.«
»Das geht doch nicht, hier an der Tür steht, dass Hunde nicht hineindürfen«, sagt der andere.
»Sei doch nicht doof, denen sagen wir nicht, dass wir lesen können!«

Mister Potter hat schwer Ärger gehabt. Verdrossen geht er in eine verrufene Kneipe.
Da sieht er einen total Besoffenen auf dem Boden zwischen den Barhockern liegen.
Mister Potter deutet auf den Besoffenen und sagt zum Barkeeper: »Für mich das Gleiche, bitte.«

*

Welches kleine Tier kann einen Riesen-Fernlaster aufhalten?
Die Pol-Ente.

*

Karlchen Dösköpp, der große Weidmann, kommt heim von der Hasenjagd.
»Na«, meint seine Frau, »hast du wenigstens heute etwas geschossen?«
»Nö, das war heute schwierig«, gesteht Karlchen. »Das war nämlich so. Die Biester sind immer Zickzack gelaufen. Wenn ich dann auf Zick gezielt hab, ist der Hase auf Zack hinüber.«

*

Warum werden die Igel während des Winterschlafs von Zeit zu Zeit wach?
Sie schauen kurz nach, ob sie noch leben.

*

Unsere kleine Betty sieht im Garten einen Igel. »Mami, Mami«, ruft sie. »Da läuft ein Kaktus!«

Sagt der Flohlehrer zur Flohmama: »Ihr Sohn Balduin wäre eigentlich ein ganz ordentlicher Schüler, wenn er nicht so sprunghaft wäre.«

*

»Was macht dein Bruder?«, fragt ein Eisbär einen anderen.
»Mein Bruder? Der hat jetzt einen Superjob.«
»Und welchen?«
»Er ist Bettvorleger bei Michael Jackson.«

*

Kommt der kleine Tausendfüßler zum Arzt.
»Na, wo fehlt's denn, Kleiner?«, fragt der Doktor.
»Mir tut mein Fuß so weh«, jammert der Tausendfüßler.
»Na, welcher ist es denn?«, fragt der Doktor.
»Das ist ja das Schlimme«, sagt der Tausendfüßler, »ich kann ja erst bis hundert zählen.«

*

Warum sind die Sibirischen Windhunde so schnell?
Weil in Sibirien die Bäume so weit auseinanderstehen.

*

Zwei Löwen im Safaripark beobachten eine Touristenfamilie in ihrem Landrover. »So was sollte eigentlich verboten sein«, sagen die Löwen. »Die armen Menschlein in so einen kleinen Käfig einsperren!«

»Zu welcher Familie gehören die Mörderwale?«, fragt der Lehrer.
»Ich kenne keine Familie, die einen Mörderwal hat«, antwortet der Schüler.

*

Unterhalten sich zwei Hühner über ihre Kollegin Gunda:
»Sag mal, warum läuft denn die Gunda in letzter Zeit immer so traurig durch die Gegend?«
»Die hat zurzeit ihre romantische Phase. Sie träumt von einem Hahn, der nur sie ganz allein lieb hat.«

*

Treffen sich zwei Dackel.
»Weißt du hier in der Nähe ein Bäumchen?«
»Ja klar, drüben, gleich um die Ecke.«
»Na prima. Komm, das müssen wir begießen.«

*

Zwei Hunde laufen durch die Wüste.
»Wenn jetzt nicht gleich ein Baum kommt«, sagt der eine, »mach ich in die Hose.«

*

»Ich dachte, wir hätten von allen Tieren ein Pärchen mit in die Arche genommen«, sagt Noah zu seiner Frau, »und jetzt läuft da ein Truthahn ganz allein herum.«
»Du vergißt«, antwortet Frau Noah, »dass inzwischen Weihnachten war.«

»Frau Zwicknagel, Ihre Katze hat meinen Kanarienvogel gefressen!«, tobt Frau Miesmeisl.
»Gut, dass Sie mir das sagen«, antwortet Frau Zwicknagel. »Da bekommt sie natürlich heute nichts mehr zu fressen, sonst kriegt sie einen schlechten Magen.«

*

»Also, dein Papagei regt mich auf. Der quatscht den ganzen Tag. Den würde ich verkaufen«, sagt Carlos, der Ausbrecherkönig, zum schönen Hugo, seinem Ganovenkollegen. »Geht nicht«, meint Hugo. »Der Papagei weiß zu viel.«

*

»Nennt mir nützliche Tiere«, sagt Lehrer Schott.
Die Schüler nennen Rinder, Schafe, Ziegen, Hühner.
Meldet sich Isidor und sagt: »Läuse!«
»Wieso sollen Läuse nützliche Tiere sein?«, fragt der Lehrer.
»Läuse zwingen uns zu größter Sauberkeit«, meint Isidor.

*

»Was soll das, gestern waren die Schnitzel viel größer als heute. Doppelt so groß!«, schimpft Familie Müller im Speiselokal.
»Darf ich Sie darauf aufmerksam machen«, erklärt der Ober, »dass die Herrschaften gestern vorne am Fenster zur Straße saßen. In diesem Fall bekommen unsere Gäste die Reklameportionen.«

Stadtführung. Julius latscht mit einer auswärtigen Reisegruppe durch unser schönes Städtchen und erklärt die Sehenswürdigkeiten.
Am Marktplatz bleiben sie vor einem gelben Haus stehen. Julius erklärt: »Hier wohnt der berühmteste Einwohner unserer Stadt, Professor Rosenbart, der Erfinder der Fahrradluftpumpe.«
Dann nimmt Julius eine Handvoll Kieselsteine und wirft sie gegen eine Fensterscheibe im ersten Stock des gelben Hauses.
Das Fenster wird aufgerissen, und es erscheint der Kopf eines alten Männchens, rot vor Zorn.
»Und das«, erklärt Julius weiter, »ist der berühmte Professor selber.«

*

Begegnen zwei eingebildete Weinbergschnecken einer Nacktschnecke und flüstern sich zu: »Unglaublich, wie viele obdachlose Penner heutzutage herumlaufen!«

*

Ulf und Alf gehen in ein vornehmes Restaurant, setzen sich an einen gemütlichen Tisch und packen ihre Brote aus.
Schon kommt der Ober angezischt.
»Das geht nicht«, sagt der Ober. »Sie können nicht einfach so dasitzen und sich selbst verpflegen. Sie müssen etwas bestellen!«
»Ja gut«, sagt Ulf, »dann bestellen Sie dem Chef hier einen schönen Gruß von uns.«

Fragt Burli Dösköpp: »Also, wenn die Luft in der Stadt so stinkig ist und wenn die Luft auf dem Land so gut ist, wie sie immer sagen, warum baut man dann die Städte nicht einfach auf dem Land?«

*

Ferien an der Nordsee.
»Wie wird so ein Fischernetz gemacht?«, fragt Fridolin einen Fischer.
»Ganz einfach«, sagt der, »man nimmt da eine Menge Löcher und knotet sie mit einer Schnur zusammen.«

*

»Wo wart ihr in den Ferien?«
»In Südtirol, ganz hinten beim allerhöchsten Bergbauern.«
»Und wie war's?«
»Da war's so steil, dass die Hühner Steigeisen hatten, und wenn der Bauer Mist auf die Wiese tat, dann musste er ihn erst im Mund weich kauen, damit er kleben blieb!«

*

»Herr Ober!«, beschwert sich der Gast, »die Suppe schmeckte wie Putzwasser, die Nudeln wie Spüllumpen, die Schnitzel wie Fensterleder, die Soße erinnert an Spülwasser.«
»Verzeihen Sie«, sagt der Ober, »unser Koch ist heute krank.«
»Aha, und wer hat gekocht?«
»Die Putzfrau.«

Das Lokalbähnchen schnauft mit letzter Kraft den Berg hinauf. Das geht dem Herrn Stemmrich aus Gelsenkirchen entschieden zu langsam.
Er springt aus seinem Wagen und läuft zum Lokomotivführer nach vorne.
»Sagen Sie mal, könnten Sie vielleicht etwas schneller vorankommen?«
»Könnte ich schon«, sagt der Lokomotivführer. »Aber ich darf den Zug nicht verlassen.«

*

Patrick fährt in die Ferien. Im Intercity irrt er durch die Waggons und kann sein Abteil nicht mehr finden.
»Na, an irgendetwas musst du dich doch noch erinnern können«, sagt der Schaffner zu ihm.
»O ja, jetzt weiß ich was«, sagt Patrick. »Vor dem Fenster war eine ganz große Schafherde.«

*

»Du wolltest doch zum Wellenreiten nach Australien. Und, wie war's?«
»Das Ganze war ein riesiger Flop.«
»Warum?«
»Das verdammte Pferd war nicht ins Wasser reinzukriegen.«

*

Warum legen Hühner Eier?
Wenn sie die Eier werfen würden, gingen sie kaputt.

Karlchens große Schwester hat sich eine neue Winterjacke gekauft.
»Herrlich«, schwärmt sie, »fühlt sich an wie eine eigene Haut!«
»Kein Wunder«, brummt ihr Bruder, »ist ja auch Ziegenleder!«

Auf dem Schulhof zu lesen

Fragte der Neue in der Schulklasse: »Wann macht ihr Pause?«
»Nie! Wir schlafen durch.«

*

Die Klasse macht einen Ausflug ins Museum. Sie bestaunen ein Skelett. Da sagt Roland: »Guck mal, das hat eine Nummer. Was bedeutet FH 65489?«
»Mensch«, sagt Elvira, »das ist die Nummer des Autos, das den Mann überfahren hat!«

*

Moritz soll einen Aufsatz über seine Familie und ihre Abstammung schreiben.
»Mami«, fragt der Junge, »wo komme ich her?«
»Der Storch hat dich gebracht.«
»Und wo kommst du her?«
»Auch vom Storch.«
»Und Großmutter?«
»Auch sie brachte der Storch.«
Der Aufsatz des Jungen beginnt folgendermaßen: »In unserer Familie gab es seit drei Generationen keine natürlichen Geburten.«

*

Der englische Austausch-Schüler: »Ist prügeln und schlagen eigentlich dasselbe?«
»Ja, sicher!«
»Und warum lachen immer alle, wenn ich sage, es hat zwölf geprügelt?«

Fragt der Lehrer: »Wie nennt man Lebewesen, die teils im Wasser leben und teils auf dem Land?« Otto meldet sich: »Badegäste, Herr Lehrer!«

*

»Was habe ich denn heute eigentlich gelernt?«, fragt Fritzchen die Lehrerin. »Das ist aber eine dumme Frage.«
»Ja, das finde ich auch, aber zu Hause fragen sie mich auch immer so dumm.«

*

Fragt der Lehrer den müden Schorsch: »Nenne mir einige berühmte Leute!« »Madonna, Michael Jackson ...«
»Und wie wäre es mit Albert Einstein und Thomas Mann?«
»Tut mir leid, die Schlagzeuger merke ich mir nie.«

*

Lehrer: »Das Wörtchen ledig hat zu bedeuten, wenn jemand noch nicht verheiratet ist. Was ist also dein Vater, wenn er geheiratet hat?«
Hans: »Der ist erledigt, Herr Lehrer.«

*

»Finden Sie nicht auch, dass mein Sohn außergewöhnlich begabt ist?«, fragt eine Mutter die Lehrerin ihres Sprösslings. »Er hat immer so originelle Einfälle.«
»Stimmt«, bestätigt die Lehrerin, »besonders in der Rechtschreibung!«

Der Erdkundelehrer fragt: »Was kannst du mir über die Passatwinde sagen.«
»Keine Ahnung, wir fahren einen Audi 80!«

*

Die Lehrerin legt ihren Hut aufs Pult und sagt: »Nun beschreibt mal diesen Hut!« Meldet sich Fritzchen: »Frau Lehrerin, schreibt man schäbig mit oder ohne h?«

*

Der ABC-Schütze schaut in seine Schultüte: »Und dafür soll ich nun zehn Jahre lang ackern?«

*

~~Lehrerin~~ »Hans, nenn mir doch mal die Sinne, die dir bekannt sind.«
»Schwachsinn, Blödsinn, Unsinn!«

*

Außer sich vor Wut schreit der Lehrer: »Wenn ich dein Vater wäre, würde ich dir jetzt ordentlich den Hintern versohlen, du Rotzbengel!«
»Glaub ich kaum. Sie würden nämlich gerade in der Küche Geschirr spülen!«

*

Martin zeigt seinem Vater das Zeugnis: »Blöde Lehrerin! Immer meckert sie, dass sie meine Schrift nicht lesen kann. Dabei sehen ihre Einser doch auch genau wie Vierer aus!«

An der Straße, die an einer Schule vorbeiführt, steht folgendes Schild: »Achtung Schule! Überfahren Sie die Kinder nicht.« Darunter steht in ungelenker Schrift: »Warten Sie auf einen Lehrer.«

*

Sagt der Lehrer zur Mutter von Klaus: »Ich muss Ihrem Sohn leider eine 6 geben, wenn er sich nicht mehr anstrengt. In Geografie ist er sehr schlecht!«
»Ach, das macht doch nichts. Wir fahren sowieso jedes Jahr immer nur nach Mallorca!«

*

Der Lehrer erklärt: »Ein Maulwurf frisst täglich so viel, wie er wiegt.« Kläuschen meint: »Und woher weiß der Maulwurf, wie viel er wiegt?«

*

Peter kommt aufgeregt und zu spät in die Schule: »Bitte, ich bin von Räubern überfallen worden!«
»Was hat man dir geraubt?«
»Gott sei Dank nur mein Heft mit den Hausaufgaben!«

*

Lehrer: »Wer von euch weiß noch, womit der Prinz das Dornröschen geweckt hat?« Keiner antwortet. Da gibt der Lehrer eine kleine Hilfe: »Denkt mal nach. Es war dasselbe, was euch auch eure Mutter morgens gibt!« Da meldet sich Paul: »Mit einem Löffel Lebertran!«

Lehrer: »Kennt einer von euch den Zweck der Eieruhr?« Da meldet sich Markus und sagt: »Damit die Küken beim Ausschlüpfen sehen können, wie spät es ist.«

*

»Man darf Tiere niemals küssen«, sagt warnend der Lehrer, »weil das sehr gefährlich ist wegen der vielen Krankheiten, die dabei übertragen werden können. Kann mir jemand ein Beispiel nennen?«
»Ja, Herr Lehrer! Meine Tante hat immer den Papagei geküsst.«
»Und?«
»Das Tier ist eingegangen.«

*

»Herr Lehrer, hier ist die Addition, die ich machen sollte. Ich habe sie zehnmal nachgerechnet.«
»Das ist aber fleißig.«
»Ja, und hier sind die zehn Ergebnisse!«

*

Der Lehrer schreibt 2:2 an die Tafel und fragt: »Was bedeutet das?«
»Unentschieden«, ruft die Klasse.

*

Lehrer: »Das Glas haben wir von den Ägyptern, den Kalender von den Römern, die Zahlen von den Arabern. Kann mir jemand noch ein ähnliches Beispiel nennen?«
»Ja! Das Bügeleisen haben wir von Schulzes, den Staubsauger von Neumanns und das Geld vom ABC-Kredit!«

Klausi erzählt in der Schule, er habe heute morgen vier tote Fliegen in der Wohnung gefunden – zwei männliche und zwei weibliche. Der Lehrer betrachtet ihn skeptisch. »Woher willst du denn wissen, dass es weibliche und männliche waren?« Antwortet Klausi: »Na, das ist doch ganz klar, zwei klebten am Schnapsglas und zwei am Spiegel!«

*

»Na, Jochen«, fragt der Lehrer, »was verstehst du unter Notwehr?«
»Wenn ich mein Zeugnis selbst unterschreibe!«

*

Der Lehrer fertigt eine Klassenliste mit Namen und Geburtsdaten der Schüler an. Er fragt: »Uwe, wann hast du Geburtstag?« Uwe will nicht hören. Der Lehrer wiederholt seine Frage: »Ich möchte wissen, wann du Geburtstag hast, Uwe!«
Uwe antwortet verschnupft: »Warum denn? Sie schenken mir ja doch nichts!«

*

Fragt der Lehrer: »Ernie, kannst du mir eine europäische Hauptstadt nennen?«
»Na klar, Herr Lehrer, welche darf's denn sein?«

*

Fragt der Religionslehrer: »Wer weiß, wie der Schutzpatron der Glöckner heißt?«
Meldet sich die kleine Anna: »Heiliger Bimbam!«

Lehrer: »Wie heißen deine Eltern?«
Schüler: »Schatzi und Dicker.«

*

Beim Wandertag sieht die Schulklasse Schwäne auf einem See. Fragt die Lehrerin: »Na, hättet ihr auch gerne so lange Hälse?« Antwortet Hans: »Beim Waschen nicht, beim Diktat schon!«

*

Der Religionslehrer fragt in der Schule nach den letzten Sakramenten. Meldet sich ein Schüler: »Es gibt keine mehr!« Der Lehrer erstaunt: »Warum gibt es keine mehr?« Der Schüler: »Mein Onkel hat die letzten bekommen!«

*

»Wer kennt eine Bauernregel?«, will der Lehrer von seinen Schülern wissen. Meldet sich die kleine Katharina: »Sind die Hühner platt wie Teller, war der Traktor wieder schneller!«

*

»Karsten«, stellt der Lehrer den notorischen Schulschwänzer zur Rede, »wo warst du schon wieder die letzte Stunde?«
»Ich hab ein kleines Nickerchen gemacht!«
»Wie bitte«, fragt der Lehrer verblüfft, »während meines Unterrichts?«
»Aber klar! Schließlich hat mich das Lernen sehr ermüdet!«

Der Lehrer hat die Aufsatzhefte zurückgegeben. Hanna betrachtet nachdenklich, was er ihr unter ihren Aufsatz geschrieben hat.
»Herr Lehrer, was haben Sie daruntergeschrieben?«
»Da steht, du sollst leserlicher schreiben!«

*

»Jochen, kennst du den Ärmelkanal?«
»Tut mir leid Herr Lehrer, wir haben noch kein Kabelfernsehen.«

*

Seit Stunden steht ein Lehrer mit seiner dritten Klasse auf dem Bahnsteig und wartet auf den richtigen Zug. Schließlich reißt ihm der Geduldsfaden: »In den nächsten Zug steigen wir ein, egal ob 1. oder 2. Klasse draufsteht!«

*

Der Lehrer erklärt etwas. Ruft ein Schüler: »Lauter!« Darauf der Lehrer: »Entschuldigung! Ich wusste nicht, dass jemand zuhört!«

*

In der Pause streiten sich zwei Jungs. »Du bist ein Kamel!« »Du bist ein noch viel größeres Kamel!« Da kommt der Lehrer dazu und sagt: »Ihr habt wohl vergessen, dass ich auch noch da bin!«

*

Biologieunterricht: »Auf welcher Seite des Menschen befindet sich das Herz, Stefan?« »Auf der Innenseite!«

»Hans, wo wurde der Friedensvertrag von 1918 unterschrieben?«
»Bestimmt unten rechts!«

*

»Du bist eine geschlagene Stunde zu spät«, ermahnt der Lehrer den Viertklässler. »Warum? War irgendwas Besonderes los?«

*

»Was ist Wind?«, fragt der Lehrer. Susi weiß die Antwort: »Das ist Luft, die es eilig hat!«

*

Marianne aus der ersten Reihe fragt: »Herr Lehrer, ist der Stille Ozean eigentlich den ganzen Tag still?« Lehrer: »Frag doch bitte mal etwas Vernünftiges!« Marianne: »Woran ist eigentlich das Tote Meer gestorben?«

*

Deutschlehrer zu Stefanie: »Was weißt du über Goethes Werk?« »Keine Ahnung. Ist das ein großer Betrieb?«

*

»Ich will nicht in die Schule!«
»Aber du musst in die Schule!«
»Die Schüler mögen mich nicht, die Lehrer hassen mich, der Hausmeister kann mich nicht leiden und der Busfahrer kann mich nicht ausstehen.«
»Jetzt reiß dich bitte zusammen: Du bist jetzt 45 Jahre alt und der Direktor! Du musst hingehen!«

Der Rechenlehrer in der ersten Klasse: »Also, nehmen wir einmal an, ich lege hier drei Eier hin, nehme zwei wieder weg und lege dann wieder vier auf den Tisch. Wie viele Eier haben wir dann?«
Silke ist sichtlich beeindruckt: »Sie können wirklich Eier legen?«

*

Elke kommt nach dem ersten Schultag nach Hause.
»Nun«, will die Mutter wissen, »ist alles gut gegangen?«
»Anscheinend nicht«, meint das Töchterchen. »Ich muss wohl morgen noch mal hin.«

*

Lehrer: »Was stellt ihr euch unter einer Brücke vor?«
Schüler: »Einen Haufen Wasser!«

*

»Nenne mir die vier Elemente«, verlangt der Lehrer von Annemarie. Das Mädchen zählt auf: »Erde, Wasser, Feuer und Bier.«
»Bier? Wieso denn Bier?«, will der Lehrer wissen.
»Immer wenn mein Vater ein Bier trinkt, sagt meine Mami: ›Jetzt ist er wieder in seinem Element!‹«

*

Lehrer: »Aus welchem Land kommst du?« Schüler: »Czechoslovakia.«
Lehrer: »Buchstabiere das mal für uns.«
Schüler: »Ich glaube, eigentlich bin ich in Ungarn geboren.«

»Sag mal«, schimpft die Lehrerin, »was hast du bloß für dreckige Hände!«
»Das ist doch noch gar nichts«, meint Oskar, »Sie müssten mal meine Füße sehen!«

*

»Stimmt es eigentlich, dass Lehrer bezahlt werden?«, fragt Daniel beim Vater nach. »Natürlich werden sie bezahlt«, bestätigt dieser.
»Und wieso machen wir Schüler dann die ganze Arbeit?«

*

In der Geschichtsstunde. Lehrer zum Klassenfaulsten: »Was kannst du mir über Karl den Vierten erzählen?«
»Er starb und nach ihm kam Karl der Fünfte.«

*

Im Religionsunterricht. »Warum durften Adam und Eva nicht die Äpfel vom Baum der Erkenntnis probieren?«
»Weil sie gespritzt waren, Herr Lehrer!«

*

Nach fünfundvierzig Fahrstunden fragt Patrick seinen Fahrlehrer: »Und, wie lang brauche ich noch, bis ich endlich fahren kann?«
Meint der Fahrlehrer mit resigniertem Blick: »Noch ungefähr drei.«
Patrick kann es gar nicht fassen: »Was, nur noch drei Stunden?«
Klopft ihm der Lehrer auf die Schulter: »Drei Autos, mein Junge, drei Autos!«

Freudig begrüßt die Klassenlehrerin die Schülerinnen nach den großen Sommerferien. »Na, habt ihr auch alle schöne Ferien verbracht?«
Meint einer ihrer Schützlinge: »War super, aber für einen Aufsatz viel zu kurz!«

*

In der Schule wurde eine neue Garderobe angebracht. Auf einem Schild darüber ist vermerkt: »Nur für Lehrer.« Am nächsten Tag klebt ein Zettel unter dem Schild: »Man kann aber auch Jacken aufhängen!«

*

»Moritz, du hast die gleichen sechs Fehler im Diktat wie dein Tischnachbar. Wie erklärt sich das wohl?«
Moritz: »Ganz einfach! Wir haben denselben Lehrer!«

*

Im Religionsunterricht versucht der Pfarrer, seinen Schülern möglichst simpel und bildhaft zu erklären, was ein Wunder ist. »Wie nennt man eine Handlung, bei der Wasser in Wein verwandelt wird?«, fragt er in die Klasse. »Eine Weinhandlung«, bekommt er zur Antwort.

*

Der Vater stellt seinen Sohn zur Rede: »Soeben habe ich von deinem Lehrer erfahren, dass du der Schwächste in deiner Klasse bist.«
»Musst nicht immer alles glauben, Papa«, antwortet der Sprössling. »Immerhin bin ich der Einzige, der den schweren Globus tragen kann.«

Brief des Lehrers an die Eltern: »Ihr Sohn schwätzt im Unterricht zu viel. Bitte mit Unterschrift zurück.« Antwort des Vaters: »Sie sollten erst mal seine Mutter hören. Gezeichnet: Huber.«

*

Maria heult am Morgen los: »Ich gehe nicht in die Schule! Immer wenn die Lehrer nicht mehr weiter wissen, fragen sie mich!«

*

Die Mutter nimmt ihren Sohn Uli streng ins Gebet: »Noch vor Kurzem hast du mir erzählt, du würdest im Zeugnis fünf Einser haben. Und jetzt stehen da aber nur Fünfer!« Seufzt Uli: »Hätte ich denn wissen können, dass der doofe Lehrer die Einser zusammengezählt hat?«

*

Die kleine Meike kommt von der Schule nach Hause.
»Gibt's was Neues?«, fragt die Mutter interessiert.
»In der Schulaufgabe eine Vier und im Aufsatz eine Fünf«, berichtet Meike mit hängendem Kopf.
»Ich habe dich gefragt, ob es etwas Neues gibt!«

*

»Achtundzwanzig Fehler, Karl-Heinz! Kannst du mir erklären, wie auf eine einzige Seite deiner Hausaufgaben achtundzwanzig Fehler kommen konnten?«
»Das kann ich mir auch nicht erklären. Der Schulranzen war jedenfalls die ganze Nacht über verschlossen in meinem Zimmer.«

Das Aufsatzthema lautet »Was tue ich, wenn ich reich werde?« Anne gibt ein leeres Blatt ab. Der Lehrer fragt: »Anne, da steht ja nichts drauf. Was soll denn das?«
»Na, wenn ich mal reich werde, dann schreibe ich garantiert keine Aufsätze mehr.«

*

»Du, Papi«, sagt der Sohn, »ich war im Biologieunterricht der Einzige, der sich gemeldet hat!« Darauf der Vater: »Na prima, mein Junge, was wollte der Lehrer denn wissen?« Franz: »Wer von uns ein paar Läuse in die Schule mitbringen kann!«

*

Interessiert erkundigt sich der Vater: »Na, Bub, wie war's heute im Chemieunterricht?« »Gar nicht langweilig«, erzählt der Junge. »In Chemie haben wir heute gelernt, wie man Sprengstoff herstellt.«
»Und was habt ihr morgen in der Schule?«
»Welche Schule?«

*

Der Vater nimmt seinen Sohn ins Gebet: »Deine schulischen Leistungen lassen ganz schön nach, mein Sohn. Weißt du eigentlich, was aus Burschen wie dir wird, wenn sie, statt die Schulbank zu drücken, nur auf dem Fußballplatz herumtollen?«
Der Sohn nickt eifrig mit dem Kopf: »Klar, das werden berühmte Fußballspieler und Millionäre!«

Die Lehrerin fragt: »Wie entsteht Tau?«
Sagt der kleine Fritz: »Wenn sich die Erde so schnell dreht, dass sie dabei ins Schwitzen kommt.«

*

»Mutti, wo warst du eigentlich, als ich geboren wurde?«
»Im Krankenhaus.«
»Und Papi?«
»Der war auf der Arbeit!«
»Na das ist ja toll! Da war also überhaupt keiner da, als ich ankam!«

*

Die Mutter wickelt ihrem Sohnemann fürsorglich einen Schal um den Hals, packt sein Pausenbrot in den Schulranzen und streicht ihm dann zum Abschied über den Kopf: »Sei vorsichtig auf dem Schulweg, mein Junge! Und mach vor allem keinen Unsinn!«, sagt der Bub: »Keine Sorge, Mami, mach ich erst in der Schule!«

*

»Na, Kläuschen, wie gefällts dir in der Schule?«, erkundigt sich die rührige Tante Mechthild. »Prima, nur die vielen Stunden zwischen den Pausen langweilen mich furchtbar!«

*

Andrea hat mit ihrer Schulklasse eine England-Reise gemacht. »Und, hattet ihr keine Schwierigkeiten mit euren Englisch-Kenntnissen?«, will die Oma wissen. »Wir nicht«, antwortet Andrea, »aber die Engländer!«

Der Ganovenboss sagt zu seinem Sohn: »Wenn du in der Schule in Betragen eine Sechs kriegst, klau ich dir das Fahrrad, das du dir schon so lange wünschst!«

*

»Peter, diesen Aufsatz über euren Hund hast du nicht allein gemacht.«
»Stimmt, Herr Lehrer, unser Hund hat mir dabei geholfen!«

*

Franzi kommt am ersten Schultag enttäuscht aus seiner Schule. Mutter: »Franzi, was hast du denn?« »Und so was nennt sich erste Klasse! Man muss auf Holzbänken sitzen!«

*

»Warum bitten wir Gott um das tägliche Brot?«, fragt die Lehrerin. »Wir könnten ja auch nur einmal in der Woche darum bitten. Also, warum bitten wir nun jeden Tag?«
»Weil das Brot frisch sein soll«, erwidert die kleine Hannelore.

*

»Wer weiß, was Abendrot ist?«, fragt der Lehrer. »Das ist der rote Himmel am Abend. Er kündigt schönes Wetter an«, gibt Kuno zur Antwort.
»Und was ist Morgengrauen?«
Wieder meldet sich Kuno. »Das ist das Gefühl gleich nach dem Aufstehen, wenn man in die Schule muss.«

»Lieber Gott, mache Rom zur Hauptstadt von Frankreich, denn das habe ich heute in meiner Erdkundearbeit geschrieben.«

*

Fritz soll einen Schulaufsatz über ein Fußballspiel schreiben. So sehr er sich plagt, ihm fällt einfach nichts ein. So kritzelt er schließlich aufs Blatt: »Der Platz war wegen dem schlechten Wetter leider nicht bespielbar.«

*

»Meine Eltern sind komisch«, beschwert sich Heidi bei ihrer Freundin. »Erst haben sie mir mit viel Mühe das Reden beigebracht und jetzt, da ich es endlich kann, soll ich dauernd den Mund halten!«

*

»Sag mal, Erich, warum hast du deinem Hund denn den Namen Alter Gauner gegeben?«
»Aus Jux! Was meinst du, wie viele Leute sich umdrehen, wenn ich ihn rufe?«

*

Im Unterricht erklärt die Lehrerin: »Es gibt Geschöpfe, bei denen die Sinne stärker entwickelt sind als beim Menschen. Wer kann mir zum Beispiel ein Tier nennen, das besser sieht als der Mensch?«
»Der Adler«, weiß Rudi.
»Richtig, und wer riecht besser als der Mensch?«
»Die Rose!«

»Hast du gehört? Unser Direktor ist gestorben.«
»Ja, und ich frage mich die ganze Zeit, wer da mit ihm gestorben ist.«
»Wieso mit ihm?«
»Na, in der Anzeige stand doch: Mit ihm starb einer unserer fähigsten Mitarbeiter ...«

*

»Kennen wir uns nicht?«, begrüßt der Professor den aufgeregten Studenten bei der mündlichen Prüfung.
»Ja, vom letzten Mal. Ich muss heute wiederholen.«
»Gut. Also was war denn das letzte Mal die erste Frage?«, fragt der Professor.
»Kennen wir uns nicht?«

*

»Gehst du denn schon in die Schule?«, fragt der Onkel seinen kleinen Neffen Klausi.
»Na, klaro«, erwidert Klausi stolz.
»So, so«, sagt der Onkel, »und was machst du da so den ganzen Tag?«
»Erst freu ich mich auf die Pause und dann warte ich bis die Schule aus ist.«

*

»Wer kann mir ein Tier ohne Knochenbau nennen?«, fragt der Lehrer in der Schule.
Reinhold weiß es: »Ein Wurm!«
»Sehr gut«, sagt der Lehrer: »Und wer kennt noch eines?«
Diesmal meldet sich Lothar: »Noch ein Wurm!«

»Dein Zeugnis gefällt mir überhaupt nicht, Tanja!«
»Mir auch nicht, Papa. Aber es ist doch schön, dass wir den gleichen Geschmack haben!«

*

»Wenn du es schaffst, in die nächste Klasse zu kommen, machen wir eine schöne Reise miteinander«, verspricht der Vater.
Elmar freut sich, beugt aber gleich vor: »Aber Papa, zu Hause ist es doch auch ganz schön.«

*

Der Lehrer fragt die Kinder: »Wer kann mir ein Beispiel dafür nennen, dass Ehrlichkeit am längsten währt?«
»Ich, Herr Lehrer«, antwortet Heiner. »Wenn ich die Rechenaufgaben abschreibe, bin ich schnell fertig, aber wenn ich sie allein mache, dauert es viel länger.«

*

»Na, wer kann mir etwas nennen, das es vor hundert Jahren noch nicht gegeben hat?«, fragt der Lehrer.
Peter weiß etwas: »Meinen kleinen Bruder und mich, Herr Lehrer!«

*

»Willi kann morgen nicht mit dir in die Schule gehen. Er hat die Windpocken und die sind leider sehr ansteckend«, berichtet die Mutter.
»O, prima«, ruft Kuno, »darf ich ihn gleich mal besuchen?«

Die Lehrerin stellt Uschi eine Frage und bekommt als Antwort: »Sie sind aber vergesslich! Gestern haben Sie mich schon genau dasselbe gefragt, und ich habe Ihnen doch gesagt, dass ich es nicht weiß!«

*

»Wörter, die mit der Vorsilbe -un- beginnen, drücken meist etwas Schlechtes oder Unangenehmes aus«, erklärt der Lehrer. »Wer kann ein solches Wort nennen?«
Darauf Gernot schlagfertig: »Unterricht!«

*

»Wie ist denn das möglich? Über zwanzig Fehler in deinem Aufsatz!«, schimpft der Vater.
Meint Harald: »Das liegt an unserem Lehrer, der sucht direkt danach.«

*

Lehrer Bröselmann erklärt: »Unter einer Sage versteht man eine Erzählung, der eine wahre Begebenheit zugrunde liegt, die aber durch rege Fantasie stark ausgeschmückt wird. Wer kann mir eine bekannte Sage nennen?«
Da meldet sich Paul: »Die Wettervorhersage!«

*

»Der Mond ist so groß, dass Millionen Menschen darauf Platz hätten«, erklärt der Lehrer.
»Und bei Halbmond gäbe es dann ein riesen Gedränge!«, sagt Tommi.

»Wie viele Gebote gibt es?«, fragt der Lehrer.
»Zehn, Herr Lehrer!«, ruft Erika.
»Und wenn du eins davon brichst?«
»Dann gibt es nur noch neun.«

*

»Warum hast du gestern im Unterricht gefehlt?«, will der Lehrer von Thomas wissen.
»Weiß ich nicht«, erklärt Thomas, »aber hier ist die Entschuldigung, ich hab sie noch nicht gelesen!«

*

»Welcher Vogel baut kein eigenes Nest?«
»Der Kuckuck!«
»Richtig. Und warum nicht?«
»Weil er in einer Uhr wohnt!«

*

»Bei uns in Deutschland ist Kinderarbeit verboten«, erklärt Gruppenleiter Stefan in der Pfadfinderstunde.
»So, und warum hat das noch niemand unseren Lehrern klargemacht?«, empört sich Franz.

*

Im Unterricht prüft der Religionslehrer die Klasse: »Gegen welches der zehn Gebote hat sich Adam versündigt, als er im Paradies den Apfel aß?«
»Gegen gar keines«, ruft Helmut.
»Wieso das denn?«
»Weil es damals die zehn Gebote noch gar nicht gegeben hat«, erklärt der schlaue Helmut.

Warum hat die Giraffe so einen langen Hals?
Weil der Kopf so hoch oben ist!

*

»Nun, Fritz«, fragt der Lehrer in der Schule, »hast du gestern auch eine gute Tat vollbracht, so wie ich es euch geraten habe?«
»O ja, das hab ich, Herr Lehrer«, erwidert Fritz strahlend.
»Ich habe unseren Hund auf einen Mann gehetzt, der auf dem Weg zum Bahnhof war.«
»Was?! Und das nennst du eine gute Tat?«
»Jawohl, Herr Lehrer«, beteuert Fritz, »auf diese Weise hat er seinen Zug noch erreicht.«

*

»Fritzi«, erkundigt sich der Lehrer, »bist du etwa krank? Du siehst heute so blass aus.«
»Nein, Herr Lehrer«, erklärt Fritzi, »aber heute hat mich meine Mama gewaschen und sonst mache ich das immer selbst.«

*

Lehrerin: »Was malst du denn da, Anita?«
»Eine Kuh!«
»Und wo ist denn der Schwanz?«
»Der ist noch im Bleistift!«

*

»Warum bewundern wir heute immer noch die alten Römer?«, will der Lehrer wissen.
Steffi vermutet: »Weil sie fließend Latein sprachen.«

Die Lehrerin fragt die kleine Uschi: »Wann bist du denn geboren?«
»Ich bin gar nicht geboren«, antwortet Uschi, »ich habe nämlich nur eine Stiefmutter.«

*

Welches ist das einzige Lebewesen, vor dem der Löwe Angst hat?
Die Löwin!

*

Im Mathe-Unterricht fragt der Lehrer: »Dein Vater geht von A nach B und legt vier Kilometer in der Stunde zurück. Dein Onkel geht von B nach A und legt fünf Kilometer in der Stunde zurück. Wo treffen sie sich?«
Kurt weiß es: »Im nächsten Wirtshaus an der Straße!«

*

Der Lehrer fragt: »Wenn dir deine Mutter zwei Scheiben Brot in die Schule mitgibt und du isst eine davon, was hast du dann noch?«
»Dann hab ich immer noch Hunger!«

*

In der Erdkundestunde erklärt der Lehrer: »So viele Bäche, Flüsse und Ströme fließen ins Meer und dazu regnet es auch immer wieder hinein – und dennoch läuft das Meer nicht über! Woran liegt das?«
Die Klasse schweigt. Endlich sagt Dieter: »Vielleicht trinken die Fische so viel?«

»In Argentinien ist es sehr warm«, berichtet der Onkel von seiner Reise.
»Das verstehe ich nicht«, wundert sich Gabi. »Der Lehrer hat gesagt, dass unser Gefrierfleisch von dort kommt!«

*

»Wie kommt denn dieser riesige Klecks in dein Heft?«, schimpft die Lehrerin.
Robert gesteht: »Sie haben für jeden Klecks eine Seite Strafarbeit angedroht. Ich hab dann aus vier Klecksen einen großen gemacht.«

*

Fritzchen kommt nach Hause und jubelt: »Papa, wir haben hitzefrei!«
»Glaub ich dir nicht!«, sagt der Vater. »Es ist Winter und bitterkalt!«
»Doch! Unsere Schule brennt!«

*

Moni in der ersten Klasse will eine Rechnung nicht begreifen, obwohl sich der Lehrer schon so viel Mühe gegeben hat.
»Schau mal, Moni«, setzt er von Neuem an, »ich schenke dir heute zwei Goldhamster und morgen schenke ich dir nochmals zwei – wie viele Goldhamster hast du dann?«
»Fünf«, behauptet Moni.
»Aber wieso denn fünf?«, stöhnt der Lehrer.
»Weil ich schon einen daheim habe.«

Lehrer: »Weiß jemand von euch, wie lange Fische leben?«
Schüler: »Genauso wie kurze«

*

Die schwangere Schwester meint zu ihrem kleinen Bruder: »Freu dich, bald wirst du Onkel!«
Sagt der Kleine: »Ich wollte aber eigentlich lieber Pilot werden ...«

*

Ein Zoologie-Student steht mitten im Examen. Der Professor deutet auf einen halb bedeckten Käfig, in dem nur die Beine eines Vogels zu sehen sind.
»Nun, welcher Vogel könnte das sein?«
»Weiß ich leider nicht.«
»Ihren Namen bitte!«
Da zieht der Student seine Hosenbeine hoch: »Jetzt raten SIE mal!«

*

Die Omi zum Enkel: »Du darfst dir von mir ein schönes Buch wünschen.«
»Dann wünsch ich mir dein Sparbuch!«

*

Prüfer: »Wie viele Inseln gibt es in der Karibik und wie heißen sie?«
Prüfling: »Es gibt ziemlich viele Inseln in der Karibik und ich heiße Franz.«

Ein kleiner Junge hat Streit mit seinem Vater. Seufzend meint er zur Mutter: »Was könnten wir doch für ein schönes Leben haben, wenn wir den Papa nicht kennengelernt hätten!«

*

Zwei Schüler unterhalten sich: »Mein rechter Fuß ist eingeschlafen, ich kann nicht mehr auftreten!«
»So wie der riecht, ist er schon längst tot!«

*

Fragt der Friseur: »Wetten, Fritzi, dass du deinen Vater nicht mehr wiedererkennen würdest, wenn ich ihm seinen Schnurrbart abrasiere?«
»Wollen wir wetten«, sagt Fritzi, »dass Sie dann auch keiner mehr wiedererkennt?«

*

Uschi und Nina stehen vor einer Toilette:
»Ich geh da nicht rein!«, meint Nina. »Da in der Ecke steht ein Igel!«
»Aber das ist doch kein Igel, das ist die Klobürste!«
»Keine Ahnung, wir haben so was nicht, wir nehmen zu Hause Papier.«

*

»Mama, gestern hat der Lehrer Arne nach Hause geschickt, weil er sich nicht gewaschen hatte.«
»Und, hat es etwas genützt?«
»Klar! Heute kam die halbe Klasse ungewaschen zur Schule!«

Nach dem Baden sitzen die eineiigen Zwillinge Peter und Paul im Bett.
Peter grinst. »Warum grinst du so?«, fragt die Mutter.
Sagt Peter: »Weil du den Paul zweimal gewaschen hast!«

*

Der Vater erklärt Nina, dass eine Krankheit immer die schwächsten Stellen des Körpers befällt. Da sagt Nina: »Jetzt weiß ich, warum du so oft Kopfschmerzen hast!«

*

Die Familie hat eine neue Wohnung. Stolz erklärt die Kleinste: »Ich hab ein eigenes Zimmer, mein Bruder hat ein Zimmer und meine Schwester hat auch eines. Nur Papa muss wieder bei der Mama schlafen!«

*

Im Biologieunterricht hat der Lehrer etwas über die Giraffe erzählt. »Kann sich einer von euch etwas Schlimmeres vorstellen als eine Giraffe mit Halsweh?«, fragt er schließlich.
Antwort: »Ja! Einen Tausendfüßler mit Hühneraugen!«

*

Sagt der Lehrer: »Man soll wenigstens einmal am Tag versuchen, einen Menschen glücklich zu machen. Hat einer von euch zum Beispiel gestern jemand glücklich gemacht?«
»Ja, ich!«, meldet sich einer. »Ich war gestern bei meiner Oma, und sie war sehr glücklich, als ich wieder gegangen bin!«

»Kannst du Klavier spielen?«
»Keine Ahnung. Hab's noch nie probiert!«

*

Der Schulleiter prüft in einer Klasse den Unterricht. Plötzlich wird er durch lautes Geschrei in der Nachbarklasse gestört. Wutentbrannt läuft er hinüber, schnappt sich den größten Schreihals und nimmt ihn mit in seine Klasse. Nebenan wird es auffallend still. Endlich klopft es an der Tür. Ein Schüler tritt ein und fragt höflich:
»Könnten wir bitte unseren Lehrer wiederhaben?«